S0-BDR-511

HOUGHTON MIFFLIN

Ortografía y Vocabulario

Working with
Second Language Learners

Libro del estudiante

HOUGHTON MIFFLIN

Boston • Atlanta • Dallas • Geneva, Illinois • Palo Alto • Princeton

Contenido

Artes de lenguaje

Nombre

Un granero de palabras

Escribe las combinaciones de consonantes que faltan en el granero para completar cada Palabra. Luego, escribe las palabras que formaste.

Palabras	
1. **bicicleta**	5. **triste**
2. **primera**	6. **gritó**
3. **comprar**	7. **gracias**
4. **fabrican**	8. **hombre**

Tus palabras

1 bici__ __eta _____

2 __ __imera _____

3 com__ __ar _____

4 fa__ __ican _____

5 __ __iste _____

6 __ __itó _____

7 __ __acias _____

8 hom__ __e _____

Escribe una Palabra para contestar la pregunta.

9 ¿Cuáles dos Palabras comienzan con el primer sonido que oyes en ?

_____

_____

Nombre

Parranda de palabras

Usa una Palabra para llenar cada
espacio en blanco. Luego, usa las
letras en los cuadros para buscar la
palabra secreta.

Palabras	
1. **bicicleta**	5. **triste**
2. **primera**	6. **gritó**
3. **comprar**	7. **gracias**
4. **fabrican**	8. **hombre**

María quiere ☐☐__ __ __ __ __ una __ __ __ __ __ __ __ __ __

para su gato. Pero ¡no se __ __ __ __ __ __ __☐☐ bicicletas para gatos!

—Mi gato estará muy ☐__ __ __ ☐ —__ __ __ __ __ María.

Entonces un __☐__ __ __ __ dijo: —No es muy difícil hacer una

bicicleta para un gato.

—Muchas __ __ __ __ __ __ __ —dijo María.

Palabra secreta: El gato está muy __ __ __ __ __ __ n __ __ .

Rodea con un círculo las Palabras que están
incorrectas en las oraciones de abajo. Luego,
escribe cada palabra correctamente.

1 _____

Marcos está muy tiste porque su mamá
no le va a compar una bicicleta nueva.

2 _____

—No es justo —glitó Marcos. Y ¡es la
grimera semana del verano!

3 _____

4 _____

Nombre

La finca de mi abuelo

Arregla las palabras que tienen las letras mezcladas en cada oración. Luego, úsalas para rellenar el crucigrama.

Horizontal

3. Mi abuelo ah vivido en el campo toda su vida.

4. Allí tiene muchos eminalas.

Vertical

1. Su casa es jora.

2. Voy a su finca adca año.

5. ¿Ves el dibujo de ees poni? ¡Es mío!

Nombre

Debajo de la luna llena

Nunca se sabe lo que pueden hacer las gallinas mientras todo el mundo duerme. Escribe oraciones que digan lo que hace cada gallina.

Ejemplo: Tica escucha música.

1 _____

2 _____

3 _____

4 _____

Escribe una oración que diga lo que va a hacer una de las gallinas.

5 _____

Nombre

Parranda de palabras

Palabras
1. **carros** 5. **corrió**
2. **ella** 6. **chicle**
3. **llama** 7. **noche**
4. **perros** 8. **correa**
Tus palabras

Cada Palabra contiene una sílaba
abierta con **rr, ll** o **ch**.

 El sonido **rr** está en **pe**_____**os**.

 El sonido **ll** está en **e**_____**a**.

El sonido **ch** está en _____**icle**.

Escribe cada Palabra en la maleta que tiene el sonido
correspondiente **rr, ll** o **ch**.

rr

1. _____

2. _____

3. _____

4. _____

ll

5. _____

6. _____

ch

7. _____

8. _____

Copyright © Houghton Mifflin Company. All rights reserved.

Nombre

Parranda de palabras

Escribe una Palabra para completar
cada oración.

Palabras	
1. **carros**	5. **corrió**
2. **ella**	6. **chicle**
3. **llama**	7. **noche**
4. **perros**	8. **correa**

1 Cuando pasees un perro, usa una _____.

2 Hay mucho tráfico hoy. La carretera está llena de _____.

3 ¿Por dónde _____ mi perro?

4 ¡No se permite a los perros masticar _____!

Rodea con un círculo las cuatro Palabras que están
escritas incorrectamente en el anuncio. Luego, escribe
cada palabra correctamente.

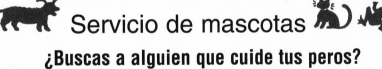

Servicio de mascotas

¿Buscas a alguien que cuide tus peros?
Yam al Servicio de mascotas de Alma. Día o
nocha, Alma puede ayudarte. Servicio de
mascotas de Alma —¡puedes confiar en ela!

5 _____

6 _____

7 _____

8 _____

Nombre

El gran escape

Usa todas las palabras que están dentro de la jaula para escribir un final para el cuento.

abajo
oír
mía
pidió
nuevo

Una tarde una señora llamó a su vecino por teléfono. Ella quería pedirle que le cuidara a su mascota, un pajarito.

—Fernando, ¿puedes cuidar a Cuco? Voy al mercado y no quiero dejarlo solo en la casa.

—Con mucho gusto, señora Gómez —replicó Fernando.

Cuando Cuco entró en la casa de Fernando, él se enojó mucho. Fernando estaba cuidando a muchas mascotas. Allí estaban un loro ruidoso, cuatro pececillos de color y el perro más malo de todo su vecindario.

En el mismo momento en que la señora Gómez se despidió de Fernando, Cuco se escapó de su jaula y voló por todo el cuarto.

Más tarde, la señora Gómez regresó para recoger a su pájaro.

_____

_____

_____

_____

Nombre

El coro de animales

A cada oración le falta la parte que nombra.
Encontrarás las partes en el cuadro. Escribe
cada parte que nombra en el crucigrama.

perro	araña
elefante	gato
mariposa	oveja
caballo	vaca

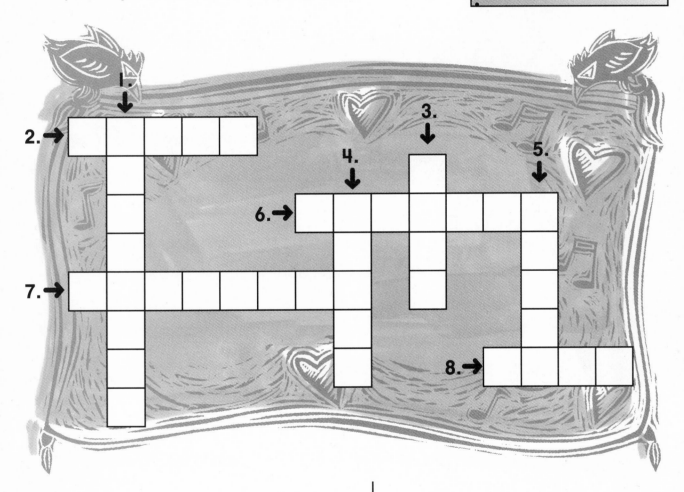

Horizontal

2. El _____ dice **guau guau.**

6. El _____ es el más rápido de todos.

7. La _____ va de flor en flor.

8. La _____ nos da leche para tomar.

Vertical

1. El _____ es el más grande.

3. El _____ dice **miau miau.**

4. La _____ hace una tela.

5. La _____ nos da lana.

Nombre

El profesor Loro

Usa las Palabras para contestar las preguntas del profesor Loro.

Palabras	
1. **buenos**	5. **cuarto**
2. **viaje**	6. **tiene**
3. **nieve**	7. **puerta**
4. **aire**	8. **nuevo**

 Tus palabras

1. No es viejo. Es _____.

2. Para entrar a la casa necesitas abrir la _____.

3. Para vivir, los seres humanos necesitan _____ puro.

4. La clase decora las ventanas con copos de _____.

5. La señora Lora quiere hacer un _____.

6. No son malos. Son _____.

7. Mi hermano está dormido en su _____.

8. El loro _____ un puntero en su ala.

Nombre

Parranda de palabras

El señor Loro está de vacaciones en Puerto Rico. Usa una Palabra para llenar cada espacio en blanco.

Conserje: _____ días, señor Loro. ¿En qué puedo servirle?

Sr. Loro: Quiero un _____ para una semana. Debe ser

tranquilo y tener _____ muy fresco.

Conserje: Muy bien, señor Loro. Pase al tercer piso. Su cuarto está por

la última _____ a la derecha.

Rodea con un círculo las Palabras que están incorrectas. Luego, escribe cada palabra correctamente.

El señor Loro está en un hotel nevo pero ya no quiere estar ahí. Hace mucho calor. Ahora quiere hacer un vaje a la neve pero no tene dinero para el pasaje.

5 _____

6 _____

7 _____

8 _____

Nombre _____

Loritos traviesos

Escribe una palabra para completar
cada oración.

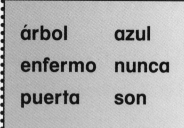

árbol	azul
enfermo	nunca
puerta	son

1 Los hijos de la señora Lora nacieron el mismo

día. _____ gemelos. Parecen

iguales, pero éste tiene una banda roja y éste

tiene una banda _____.

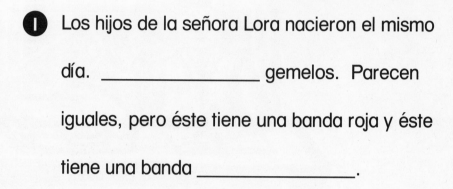

2 Los loritos volaron hasta el _____

más alto. ¡Qué loritos tan traviesos!

_____ se portan bien.

3 La señora Lora dejó abierta la

_____.

4 Ahora éste está _____. La señora

Lora se fue a buscar al médico.

Nombre

De colores brillantes

Usa colores brillantes en las piezas del rompecabezas que
contienen partes que muestran acción y negro en las que
contienen partes que nombran.

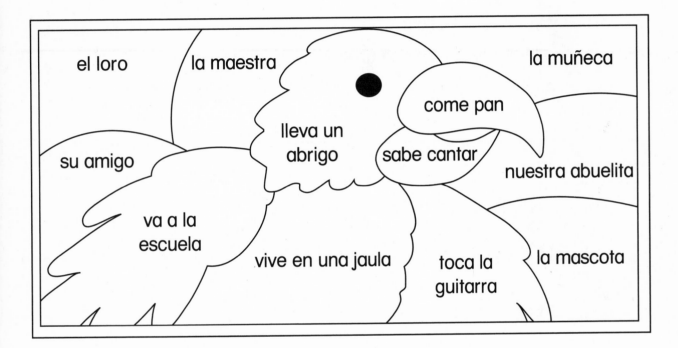

Escribe partes que muestran acción para completar estas oraciones.

Ejemplo: Nuestra abuelita <u>lleva un abrigo</u>.

1 El loro _____ .

2 Su amigo _____ .

3 La muñeca _____ .

4 La mascota _____ .

5 La maestra _____ .

Copyright © Houghton Mifflin Company. All rights reserved.

Nombre

Cartel de mascotas

Lee el cartel. Sigue las instrucciones. El ejemplo te ayudará.

- Hay cuatro palabras que están escritas incorrectamente. Haz un círculo alrededor de ellas.
- Haz un círculo alrededor de dos grupos de palabras sin una parte que muestre acción.

¡Gran concurso canino en tu escuela!

Por (premera) vez tu classe va a tener un

concurso de peros. Cada animalito debe entrar

con corea. Puedes obtener más información en

la peurta de tu escuela. Tu profesora. ¡Gracias

por tu participación! Tú y tu mascota.

Nombre

Huellas de sonido

Cada Palabra tiene una sílaba que empieza con el sonido **g** de **gato**. La letra **g** tiene este sonido cuando viene justo antes de **a**, **o, u** o **u más otra vocal**.

Escribe cada Palabra con el mismo sonido en la huella de animal.

Palabras	
1. **lago**	5. **tortuga**
2. **garza**	6. **laguna**
3. **guiar**	7. **golpea**
4. **seguido**	8. **lugares**

 Tus palabras

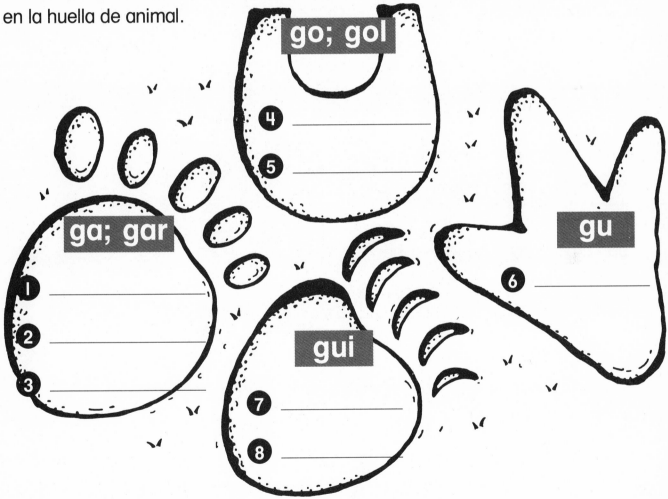

go; gol

4 _____

5 _____

gu

6 _____

ga; gar

1 _____

2 _____

3 _____

gui

7 _____

8 _____

Escribe dos Palabras que son nombres de dos extensiones de agua.

9 _____

10 _____

Copyright © Houghton Mifflin Company. All rights reserved.

19

Nombre

Parranda de palabras

Escribe una Palabra que corresponda a cada definición.

1. Es un pájaro con un cuello largo.

2. Es un reptil que se mueve muy lentamente.

3. Es una extensión de agua.

4. Es un lago muy pequeño.

Encuentra cuatro Palabras en esta nota que estén escritas incorrectamente y rodéalas con un círculo. Luego escribe cada palabra correctamente.

Mamá:

    No puedo ir al bosque hoy porque la lluvia guolpea la ventana. Voy al bosque mañana, segido por mis amigos. Voy a giar el grupo. Queremos buscar los luguares donde viven los animales interesantes.

Palabras	
1. **lago**	5. **tortuga**
2. **garza**	6. **laguna**
3. **guiar**	7. **golpea**
4. **seguido**	8. **lugares**

① _____

② _____

③ _____

④ _____

⑤ _____

⑥ _____

⑦ _____

⑧ _____

Nombre

Encuentra la palabra perfecta

La guardabosque les enseña a los visitantes el parque. Escribe las palabras para completar su discurso.

bajo	beber	pájaro
ciudad	pies	rápido

1 ¡Bienvenidos! Aquí estamos muy lejos de la _____.

2 Los animales vienen a _____ de este lago.

3 Miren como mis _____ dejan huellas en el lodo.

4 Fíjense en el _____ sentado en aquel árbol.

5 El sapo hace un sonido muy _____.

6 ¡Miren! ¡Qué _____ corren los venados!

Usa algunas de las palabras para preguntarle a la guardabosque sobre el parque.

_____

_____

_____

Nombre

¿Quién ha estado aquí?

Descifra las palabras en cada cuadro.

Escribe cada oración correctamente.

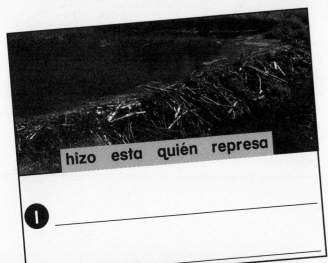

hizo   esta   quién   represa

1 _____

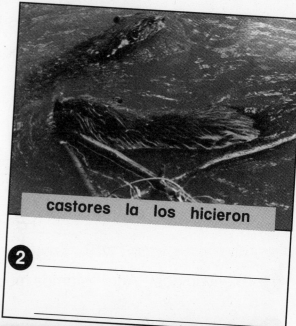

castores   la   los   hicieron

2 _____

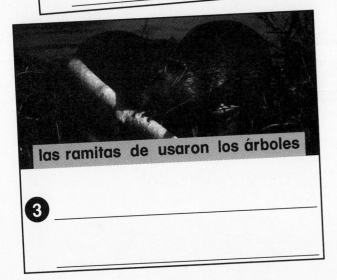

las ramitas de usaron los árboles

3 _____

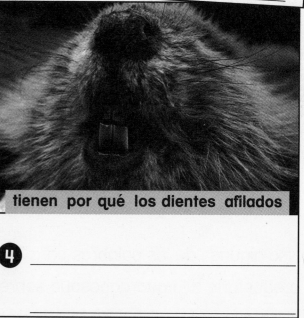

tienen por qué los dientes afilados

4 _____

Escribe una oración descriptiva sobre una de las fotos.

5 _____

Escribe una pregunta sobre una de las fotos.

6 _____

Nombre

Espiar por sonidos

Cada Palabra tiene el sonido de **c** en **casa**.
A veces este sonido se escribe con **c** y a veces
se escribe con **q**.

Escribe las Palabras en las hojas. Colorea
de verde las hojas que tienen palabras con
una **q** para el sonido de **c** en **casa**. Colorea de marrón
las hojas que tienen palabras con una **c** para el sonido
de **c** en **casa**.

Palabras	
1. **cerca**	5. **cada**
2. **curiosa**	6. **bosque**
3. **pequeño**	7. **equipo**
4. **corteza**	8. **charca**
	Tus palabras

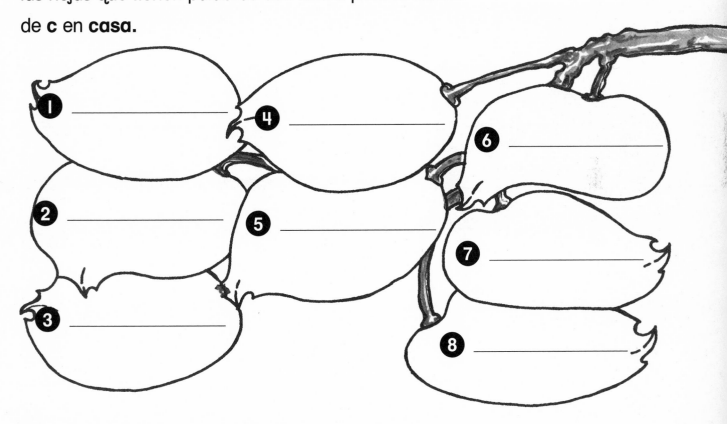

Escribe Palabras para responder a las preguntas.

9 ¿Cuál es la Palabra que rima con **furiosa**? _____

10 ¿Cuál es la Palabra que rima con **marca**? _____

Nombre

Parranda de palabras

Escribe la Palabra que corresponde a cada pista.

Palabras	
1. **cerca**	5. **cada**
2. **curiosa**	6. **bosque**
3. **pequeño**	7. **equipo**
4. **corteza**	8. **charca**

1 aquí crecen muchos árboles

_____

2 rima con **barca**

_____

3 como el abrigo de un árbol

_____

4 lo opuesto de **grande**

Encuentra y rodea con un círculo cuatro Palabras que están escritas incorrectamente en el rótulo de este camino. Escribe cada Palabra correctamente.

Favor de mantenerte circa de la vereda. Si eres una chica quriosa ten cuidado de no molestar los animalitos. Si te falta algún ecuipo de caminata, puedes comprarlo en nuestra tienda. La tienda está al otro lado de la cherca.

5 _____

6 _____

7 _____

8 _____

Nombre

Apuntes sobre la naturaleza

Completa las oraciones acerca de la familia
de patos con las palabras del cuadro.

| alrededor   aún   color   madre   mirar |

1 Aquella patita busca a su _____.

2 Sus hermanos se agrupan _____ de ella.

3 Los bebés no son del mismo _____ que su mamá.

4 El patito más pequeño _____ no sabe nadar bien.

5 ¡Me gusta tanto _____ la naturaleza!

Dibuja a tu animal salvaje favorito. Escribe su nombre.

_____

Nombre

La telaraña de oraciones

Una araña ha hecho una red de palabras. Usa las palabras de la red para escribir dos oraciones descriptivas, dos preguntas y dos exclamaciones.

Ejemplo: Las ranas pueden saltar.

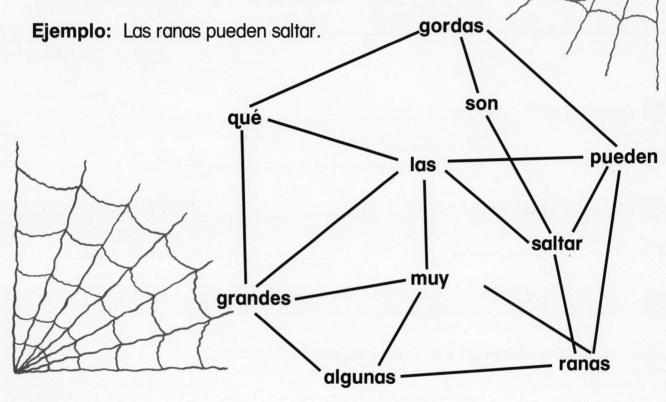

1 _____

2 _____

3 _____

4 _____

5 _____

6 _____

Nombre

Cerca del mar

Palabras

1. **calentito**   5. **golpecitos**

2. **finalmente**   6. **abertura**

3. **lentamente**   7. **pintura**

4. **armadura**   8. **rápidamente**

 Tus palabras

Estas palabras tienen terminaciones comunes. Cada palabra termina en **-ura, -mente, -ito** o **-itos**.

Escribe cada Palabra en el cuadro que tiene una palabra con la misma terminación.

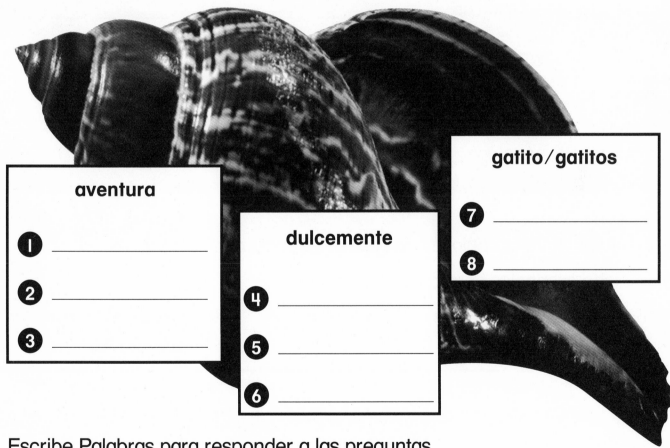

aventura

1 _____

2 _____

3 _____

dulcemente

4 _____

5 _____

6 _____

gatito/gatitos

7 _____

8 _____

Escribe Palabras para responder a las preguntas.

9 ¿Cuál Palabra empieza como **caracol**? _____

10 ¿Cuál Palabra tiene una **c** como la **c** en **cine**? _____

Nombre

Parranda de palabras

Escribe una Palabra
para cada pista.

Palabras	
1. **calentito**	5. **golpecitos**
2. **finalmente**	6. **abertura**
3. **lentamente**	7. **pintura**
4. **armadura**	8. **rápidamente**

1 la parte que no está cerrada __ __ __ __ __ __ __ __

2 La tortuga anda así. __ __ __ __ __ __ __ __ __ __

3 no lentamente __ __ __ __ __ __ __ __ __ __ __

4 la hace un artista __ __ __ __ __ __ __

5 algo que protege __ __ __ __ __ __ __ __

Rodea con un círculo las Palabras que están mal escritas.
Luego escríbelas correctamente.

Un día de mi vida por Jorge Caracol

Un día que llovía, yo estaba paseándome dentro de mi concha, muy calintito. De repente llegó un gato. ¡Empezó a darme golpesitos! Yo tuve que cerrar mi concha inmediatamente. Finamente ese gato se fue y yo me quedé muy alegre.

6 _____

7 _____

8 _____

Nombre

Conchas asombrosas

Escribe una palabra del cuadro para
completar cada oración.

ayuda	cierra
blanco	hogar
cabeza	parte

1 El caparazón de la tortuga es

_____ de su esqueleto.

2 El caparazón _____ a la

tortuga a mantenerse a salvo.

3 La _____ del caracol sale

de una abertura en la concha.

4 La concha es el _____

del animal.

5 Cuando se asusta, la almeja

_____ su concha.

6 Algunas almejas son de color marrón y

_____.

29

Nombre

La concha del caracol

Colorea de amarillo las partes del rompecabezas que

tienen oraciones. Escribe cada oración correctamente.

algunos caracoles

en charcas y ríos

algunos viven en el mar

con su pie

el caracol
terrestre

su concha
es muy dura

el cuerpo
del caracol es
blando

el caracol
permanece en su concha

la concha crece
con el caracol

por mucho tiempo

el caracol más grande

1 _____

2 _____

3 _____

4 _____

5 _____

Nombre

Los veleros en el mar

Cada Palabra tiene el sonido de **s, c suave** o **z**.
Estos sonidos son muy parecidos cuando los
pronunciamos.

Completa cada crucigrama. Escribe cada
Palabra en el velero que tiene la misma
letra que la palabra.

Palabras	
1. **isla**	5. **cascada**
2. **brisa**	6. **secreto**
3. **dulces**	7. **cientos**
4. **zorro**	8. **zarpas**

 **Tus palabras**

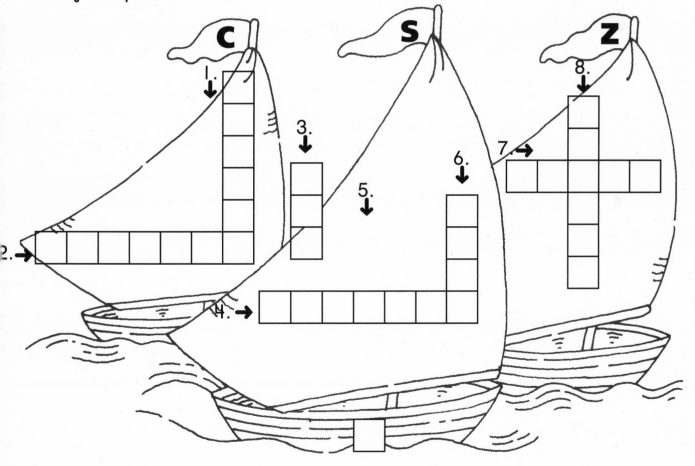

¿Cuáles Palabras tienen dos de los sonidos mencionados? **(2)**

9 _____   **10** _____   **11** _____

31

Nombre

Parranda de palabras

Escribe la Palabra que quiere decir

lo mismo que las otras dos palabras.

Palabras	
1. **isla**	5. **cascada**
2. **brisa**	6. **secreto**
3. **dulces**	7. **cientos**
4. **zorro**	8. **zarpas**

1 aire, viento, _____

2 caramelos, golosinas, _____

3 catarata, caída de agua, _____

4 garras, uñas, _____

Encuentra cuatro Palabras que están escritas

incorrectamente y rodéalas con un círculo. Luego

escríbelas correctamente.

5 _____

6 _____

7 _____

8 _____

19 de julio

Estoy de vacaciones en la isila. Aquí
hay muchas cosas para explorar. Ayer
descubrí una cazcada en un lugar cecreto.
También hay sientos de frutas para comer.
¡Quiero quedarme aquí todo el verano!

Nombre

¿Cómo somos?

Contesta las adivinanzas con las palabras del cuadro.

| agua | aire | camino |
| sobre | temprano | |

1 Estoy en el mar,
estoy en el río,
y tú me tomas
con té caliente o frío.

_____

4 Así llego a la escuela,
así me acuesto a dormir,
así me levanté hoy,
antes de venir.

_____

2 Encima de mí los carros,
y también las bicicletas,
te llevan hasta tu casa,
y también hasta la escuela.

_____

5 Encima de la mesa hoy,
arriba de la mesa mañana,
¿Qué otra palabra dice
dónde está una carta?

_____

3 Me respiras,
me abanicas,
pero mirarme no puedes.
Yo me escapo de las llantas,
y de los globos que tienes.

_____

6 Ahora trata de crear tu propia adivinanza.

_____

_____

_____

_____

En mi isla

Ayuda al niño a encontrar a su familia. Sigue solamente el camino de las partes que nombran.

estar   de   la cascada

las ranas   las aves

dentro   hacer   el hombre

fuera   la niña   el

arriba   el mar

las hojas

por   los peces   la abuela

los niños

Clasifica todos los nombres en la tabla.

Personas	Animales	Cosas

Nombre

Querido Javier

Lee la carta. Hay seis errores. Haz un círculo alrededor de
cada error. El ejemplo te ayudará.

- Hay tres palabras que están escritas incorrectamente.
- Hay una palabra que necesita una mayúscula.
- Hay dos signos de puntuación equivocados.

Querido Javier:

Te escribo para contarte de mi viaje a la playa. Me divertí

mucho con mi familia.

¿Has visto alguna vez una (tortuja) gigante. Son blancas y verdes

y muy bonitas. También vi una tortuga muy pecueña. ella subió

rápidomente la loma y se escondió debajo de su concha, que

parecía una armatura. Yo creo que era una tortuga bebé.

¡Y me quemé mucho con el sol?

Ceci

35

Nombre

Un jardín de palabras

Escribe las palabras que tienen **H** adentro de las flores en la caja que dice "H".

Escribe las palabras que tienen **J** adentro de las flores en la caja que dice "J".

Palabras

1.	**jardín**	5.	**hasta**
2.	**había**	6.	**dijo**
3.	**hombres**	7.	**caja**
4.	**ojos**	8.	**habla**

 Tus palabras

Nombre _____

Parranda de palabras

Palabras	
1. **jardín**	5. **hasta**
2. **había**	6. **dijo**
3. **hombres**	7. **caja**
4. **ojos**	8. **habla**

Completa los consejos de
la maestra.

1 Riega el

_____.

3 Pon los juguetes en la

_____.

2 Abre bien los

_____.

4 _____

en voz baja.

Busca y haz un círculo alrededor de cuatro palabras que están escritas
incorrectamente. Luego, escribe cada palabra correctamente.

¡Quiero jugar!

Marita: Mamá, ¿puedo ir a jugar en el hardín?

Mamá: Sí hijita, pero abre bien los hojos. ¡Hay hormigas!

Marita: ¿Puedo llevar mi caha de juguetes?

Mamá: Sí, pero abla con tu hermanita. Ella también

dijo que quiere usarla.

5 _____

7 _____

6 _____

8 _____

Una respuesta para la carta

Lee esta carta que le escribió Eric a Sergio.

Querido Sergio,

¡Yo conozco a alguien que te puede enseñar a patinar! Se llama Pedro y es mi amigo. Ahora sí vas a aprender.

Ayer, mi hermana Teresa y yo fuimos a la pista de hielo. Allí conocimos a Pedro. El nos enseñó a patinar y fue muy divertido.

Teresa aprendió primero que yo, pero yo aprendí bastante rápido también. Solo me caí algunas veces. ¿Quieres venir a patinar las próximas vacaciones? Te invitamos. Escríbeme pronto.

Tu amigo,

Eric

Contesta la carta de Eric. Usa las palabras subrayadas.

Querido Eric:

_____

_____

_____

_____

_____

Tu amigo,

Sergio

Nombre

Nombres especiales

Escribe cada oración. Usa el nombre de una persona,
animal o un lugar especial en lugar de cada dibujo.

Persona especial   **Lugar especial**   **Animal especial**

1 Voy a visitar a mi amiga  .

_____

2 Su casa está en .

_____

3 El nombre de su escuela es .

_____

4 Ella tiene una hermana que se llama .

_____

5 Su gato se llama .

_____

Nombre

¡Cuidado, deletreo adelante!

Cada Palabra tiene el sonido /j/. Este sonido puede escribirse **ge, gi** o **j**.

Conecta las palabras con el sonido /j/ para llegar hasta los lentes. Luego, escribe las Palabras que tienen las mismas letras que los carteles.

Palabras	
1. **gerbo**	5. **debajo**
2. **fingir**	6. **ojos**
3. **agitar**	7. **justo**
4. **dije**	8. **mejor**

Tus palabras

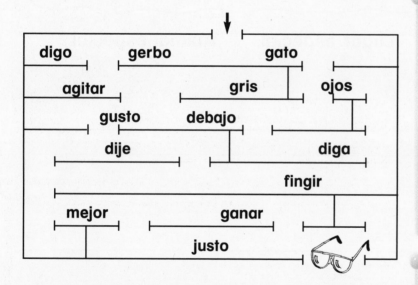

↓

digo	gerbo	gato
agitar	gris	ojos
gusto	debajo	
dije		diga
	fingir	
mejor	ganar	
justo		

ge/gi

❶ _____

❷ _____

❸ _____

Haz un círculo alrededor de las palabras en las que la g tiene el mismo sonido que la j.

gente   ganar   general   gusto

j

❹ _____

❺ _____

❻ _____

❼ _____

❽ _____

Nombre

Parranda de palabras

Escribe la Palabra que va con cada pista.

Palabras	
1. **gerbo**	5. **debajo**
2. **fingir**	6. **ojos**
3. **agitar**	7. **justo**
4. **dije**	8. **mejor**

1 mover _____

2 Uso éstos para ver. _____

3 opuesto de **encima** _____

4 ¡No es ___! _____

5 actuar _____

Rodea con un círculo tres Palabras escritas incorrectamente. Luego, escríbelas correctamente.

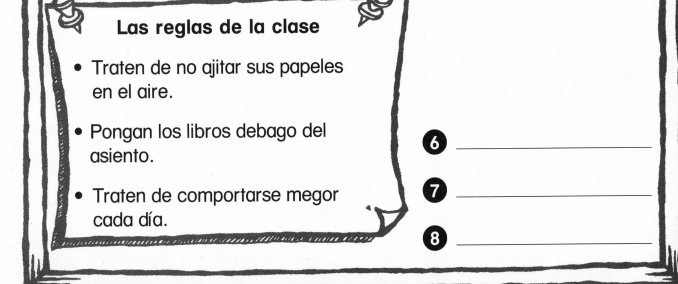

Las reglas de la clase

• Traten de no ajitar sus papeles en el aire.

• Pongan los libros debago del asiento.

• Traten de comportarse megor cada día.

6 _____

7 _____

8 _____

Copyright © Houghton Mifflin Company. All rights reserved.

Nombre _____

Contestando y dibujando

acerca

ayudarán

ojos

sonrió

ventana

Llena los espacios en blanco. Luego, dibuja
tu respuesta a la pregunta que le sigue.

1 Mi clase estudió _____ de los

dinosaurios ¿Qué estudió la clase?

2 Mi amigo Daniel dibujó un dinosaurio pero

no lo pudo poner en la _____

porque no quedó bien. ¿Dónde quería

poner Daniel su dibujo?

3 Daniel quería intentarlo otra vez. La

maestra dijo: —Estos lápices de colores te

_____ a dibujar mejor. ¿Qué le

dio la maestra a Daniel?

4 Cuando Daniel usó los lápices de colores,

_____. ¿Qué hizo Daniel

cuando usó los lápices?

5 Daniel dibujó un dinosaurio y le puso un

par de _____ muy grandes.

¿Qué le puso Daniel al dinosaurio?

Nombre

Patea la bola con un pronombre

Tu amigo no llevó sus lentes el día que la clase estudió los pronombres.

Ayúdalo a escribir el pronombre correcto en el otro lado de la bola.

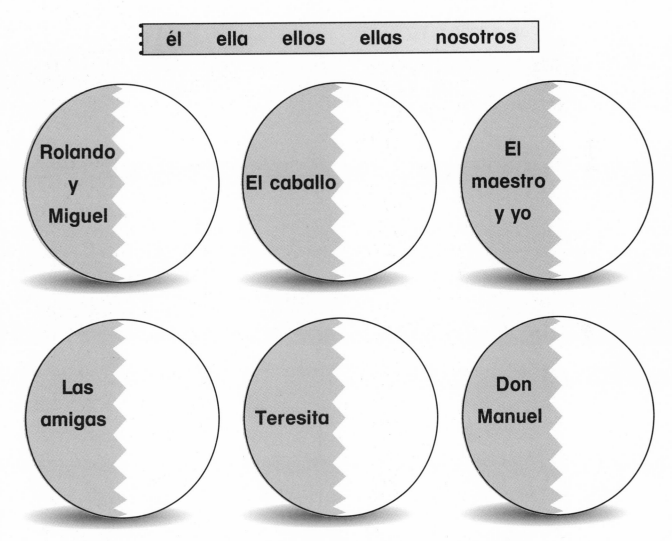

| él | ella | ellos | ellas | nosotros |

Rolando y Miguel

El caballo

El maestro y yo

Las amigas

Teresita

Don Manuel

Completa este cuento. Usa por lo menos dos pronombres.

Rolando, Miguel y Teresita jugaron al fútbol después de la escuela.

_____

_____

Copyright © Houghton Mifflin Company. All rights reserved.

Nombre

La niñera atareada

Ayer fue un día muy atareado para la niñera. Observa las ilustraciones para que veas lo que ella hizo. Escribe la palabra de la caja que corresponde a cada pista.

Palabras	
1. **estaba**	5. **pintaba**
2. **hablaba**	6. **miraba**
3. **cuidaba**	7. **gritaba**
4. **llamaba**	8. **lloraba**

 Tus palabras

Horizontales

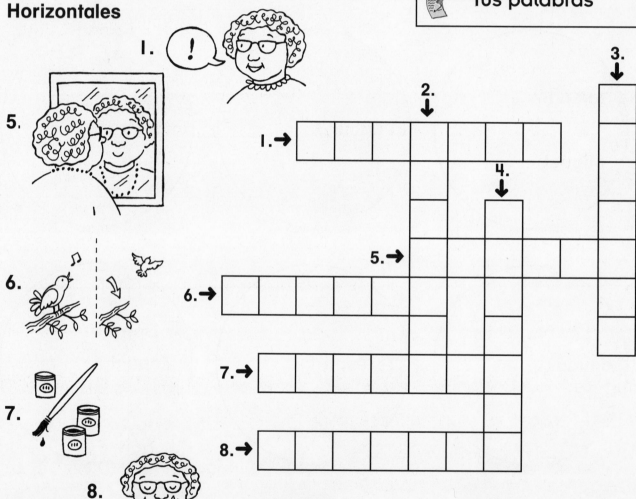

Verticales

2.

3.

4.

Nombre _____

Parranda de palabras

Antonio tiene un código secreto para que
nadie pueda leer su diario: le quita
algunas palabras. ¿Puedes completar
lo que escribió?

Palabras	
1. **estaba**	5. **pintaba**
2. **hablaba**	6. **miraba**
3. **cuidaba**	7. **gritaba**
4. **llamaba**	8. **lloraba**

6 de mayo Mamá dice que me va a cuidar la niñera. No me gusta

esa niñera porque antes me _____ mientras

yo jugaba. ¡Me _____ en una voz muy fuerte!

7 de mayo Hoy _____ con la tía Amorosa.

Mientras me _____, ella _____ de

béisbol y yo _____ un cuadro. ¡Ella es mi amiga!

Ahora busca y haz un círculo alrededor
de dos Palabras que están escritas
incorrectamente en estas adivinanzas.
Luego, escribe las palabras correctamente.

1 _____

2 _____

1. Su cabecita era negra y se volvió
   anaranjada, se quemó y no
   lloraba y con su luz nos mirarba.

2. Parecía alegre y hecha de
   algodón, pero a veces llorava un
   montón.

45

Nombre _____

El mensaje secreto

Escribe los nombres plurales. Luego usa el
número debajo de la letra para completar el
mensaje secreto.

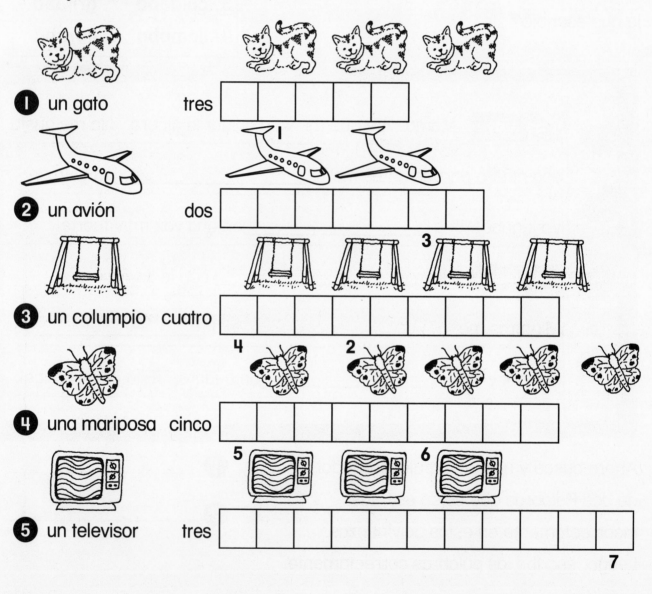

1 un gato   tres

2 un avión   dos

3 un columpio   cuatro

4 una mariposa   cinco

5 un televisor   tres

Mensaje:

¡Plur____l q___ier____ de___ir: i___uch____!
    1   2   3   4   5   6 7

Recorta y pega

Recorta las palabras en la parte inferior de la página

y pega las figuras geométricas en el lugar correcto.

Luego, escoge palabras para completar las oraciones.

La niñera musical

La niñera _____ a la puerta. Ella vino a

a los niños. Entró en casa y se sentó en _____.

un estuche, sacó una _____ y empezó a

_____. Cantó con una voz muy   A los

niños les encantó su   . Ellos le dijeron: —¡Canta una

_____ de   !

amor   Abrió   cuidar   dulce   voz

Nombre

Así es más pequeñito

Cada Palabra es un diminutivo. Un **diminutivo** describe algo pequeño. También puede describir a alguien o algo que queremos mucho.

Escribe el diminutivo de cada palabra dentro de un columpio.

Palabras
1. **abuelito**　5. **barquitos**
2. **amiguita**　6. **casita**
3. **nietecita**　7. **gatito**
4. **primita**　　8. **besito**
Tus palabras

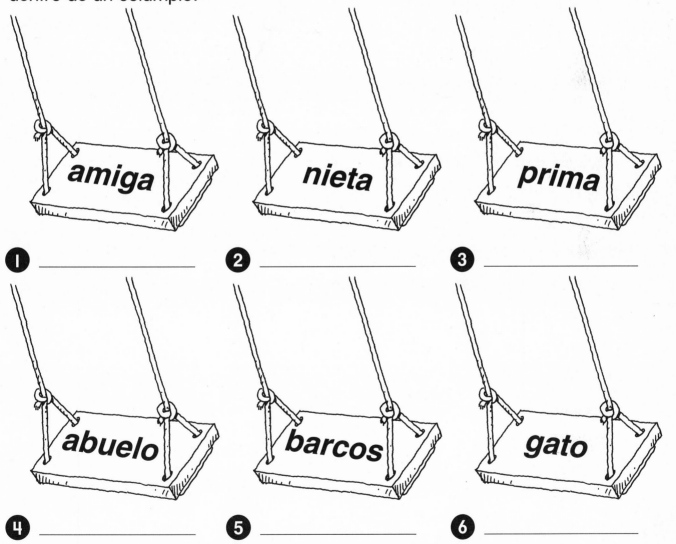

1 _____

2 _____

3 _____

4 _____

5 _____

6 _____

¿Con qué palabras base se relacionan estos diminutivos?

7 besito _____

8 casita _____

Nombre

Parranda de palabras

Completa cada rima con una Palabra.

1. Escribí un poema bien cortito,

   y se lo pienso dar a mi _____.

2. Si tu eres mi abuelita,

   entonces yo soy tu _____.

3. Antes de irme a dormir, mi abuelito

   me cuenta un cuento y me da un _____.

4. María tenía una _____,

   que se llamaba Marisol y era bajita.

Palabras	
1. **abuelito**	5. **barquitos**
2. **amiguita**	6. **casita**
3. **nietecita**	7. **gatito**
4. **primita**	8. **besito**

1 _____

2 _____

3 _____

4 _____

Haz un círculo alrededor de las Palabras que están escritas incorrectamente. Luego, escribe cada palabra correctamente.

Marisol:

Mi abulito me regaló un gaticito de peluche. Todas las noches le doy un besoito antes de dormir. Él tiene su casaita al lado de mi cama. ¿Te gustaría tener uno igual?

María

5 _____

6 _____

7 _____

8 _____

Cartitas

calle	conocer	escribir
viajar	visita	

Usa las palabras en el cuadro para completar la carta que
le escribió Patricia a Lucy desde México.

Querida Lucy:

Estoy muy contenta porque vas a venir a México. Ahora tú vas a
_____ mis lugares favoritos, especialmente la plaza que
está cerca de mi casa. Ahí podemos comer un helado y jugar con
mis amigos. Ellos ya saben de tu _____ y también te
están esperando. Yo vivo en una _____ con un nombre
muy bonito. Se llama Paseo de las flores. Mi casa es muy cómoda.
Mis padres tienen artesanías de todo el país, a ellos les gusta
_____ mucho. Cuando vengas vas a aprender sobre
nuestras costumbres. Por ahora, espero que me puedas
_____ una carta. Quiero saber qué día llegas a México.
Buena suerte y ¡hasta pronto!

Patricia

Copyright © Houghton Mifflin Company. All rights reserved.

Nombre

Busca más de uno

Haz un círculo en el buscapalabras alrededor de las palabras que representan más de una de las cosas que están en la maleta.

libro

creyón

lápiz

pelota

l	i	b	r	o	s	d	í
á	m	n	y	p	f	s	b
p	e	l	o	t	a	s	r
i	r	b	h	l	ó	p	p
c	r	e	y	o	n	e	s
e	d	a	p	z	x	s	j
s	l	b	d	i	a	r	é

Haz una oración con cada una de las palabras que encontraste en el buscapalabras.

 _____

 _____

3 _____

4 _____

Nombre

Noticias

Lee el informe de noticias. Hay seis errores. Haz un círculo alrededor de cada error. El ejemplo te ayudará.

· Hay tres palabras que están escritas incorrectamente.

· Hay dos nombres que deben nombrar más de uno.

· Hay una palabra que necesita una mayúscula.

Noticias de la Escuela Río

¡Un nuevo estudiante aprecia nuestra escuela!

Pepe (martínez) es un nuevo estudiante que abla español.

Nosotros le preguntamos qué le gustaba de la escuela. Pepe era

casi un genio y hablaba muy bajito.

—el primer día unos amiguito me mostraron el gardín. Había

un gatito que estaba debaho de unos arbusto. No pude jugar con

él, pero el maestro dijo que durante el recreo podría volver.

Nombre _____

Sílaba + sílaba = ¡palabra!

Descubre la Palabra correcta combinando
las sílabas de cada palabra en la pista.

Palabras	
1. **finca**	5. **granja**
2. **viejo**	6. **anciano**
3. **contento**	7. **alegre**
4. **soga**	8. **cuerda**

 Tus palabras

1 Comienzo como **fingir.** Termino como **vaca.** _____

2 Comienzo como **grande.** Termino como **oveja.** _____

3 Comienzo como **vida.** Termino como **conejo.** _____

4 Comienzo como **contender.** Termino como **momento.** _____

5 Comienzo como **soleado.** Termino como **tortuga.** _____

6 Comienzo como **andar.** Termino como **marciano.** _____

7 Comienzo como **alear.** Termino como **tigre.** _____

8 Comienzo como **cuerno.** Termino como **comida.** _____

Nombre _____

Parranda de palabras

Palabras	
1. **finca**	5. **granja**
2. **viejo**	6. **anciano**
3. **contento**	7. **alegre**
4. **soga**	8. **cuerda**

Escribe dos Palabras para cada pista.

1 No estoy triste. Estoy _____ _____.

2 Aquel hombre no es joven. Es un _____ _____.

3 Necesito atar el caballo. Dame la _____ _____.

4 No vivo en la ciudad. Vivo en una _____ _____.

Busca y haz un círculo alrededor de cuatro Palabras que están escritas incorrectamente en la nota. Escribe cada Palabra correctamente.

5 _____

6 _____

7 _____

8 _____

Queridos Mamá y Papá:

Estoy muy continto aquí en la finca de abuelito. Ayer, me encontré con un caballo ansiano. Hice una correa para él con una corda. ¡Ojalá pudiera llevarmelo a casa!

Con cariño,

Pablo

¡Qué raro!

Usa las palabras en el cuadro para completar las descripciones de los animales.

buscar	flores
largo	sabe
viejo	

1 Tiene alas como los pétalos de las

_____.

2 Tiene pelusa amarilla y corre para

_____ comida.

3 Tiene una cola rizada y el rostro

tan arrugado que parece muy

_____.

4 Se parece un poco al burro, pero

tiene las orejas cortas. ¿Quién

_____

qué animal es?

5 Tiene plumas blancas y un cuello muy

_____.

Nombre _____

Palabras para trabajar

Escribe la palabra de acción que indica lo que cada uno de los animales del abuelo puede hacer.

patear	rasgar
saltar	trepar
nadar	comer

1

El conejo sabe _____.

2

El pato sabe _____.

3

La ardilla sabe _____.

4

El burro sabe _____.

5

La gallina sabe _____.

6

La vaca sabe _____.

Nombre

Las dos caras de la moneda

Palabras	
1. **el**	5. **él**
2. **casa**	6. **caza**
3. **sí**	7. **si**
4. **siento**	8. **ciento**

 **Tus palabras**

Los **homófonos** son palabras que suenan igual pero se escriben diferente y tienen significados diferentes. Mira las Palabras. Cada una es un homófono de otra Palabra.

Escribe la Palabra que completa la pista.

Luego, escribe su homófono a su lado.

1 Me _____ enfermo.   _____

2 Yo fui a mi _____ a buscar a mi papá.   _____

3 ¿Dijiste "_____" o "no"?   _____

4 _____ es mi hermanito.   _____

¿Conoces otro par de homófonos?

5 _____

6 _____

Nombre _____

Parranda de palabras

Escribe dos Palabras en cada oración.

Palabras	
1. **el**	5. **él**
2. **casa**	6. **caza**
3. **sí**	7. **si**
4. **siento**	8. **ciento**

1 Yo me _____ en un

sillón y cuento hasta

2 _____ uno.

Mi perro _____ conejos detrás de

3 nuestra _____ .

Quiero saber _____ te gusta ir al

4 cine. ¿_____ o no?

¿Por qué _____ no quiere

comerse _____ pastel?

Haz un círculo alrededor de cuatro Palabras que están escritas
incorrectamente. Escribe cada Palabra correctamente.

Mueblería "Tu casa"

**¡Agarra él sillón más hermoso sin pagar
siento cinco dólares! Sí no lo llevas a caza
¡te arrepentirás!**

5 _____   **7** _____

6 _____   **8** _____

¡Gracias por todo!

Usa las palabras en el cuadro para completar cada oración. Luego, añade la fecha y tu propia oración.

| cenar | cosa | luz | paga | recibe |

_____, 19_____

Queridos amigos:

    Ayer Mamá me llevó a _____

y me contó lo agradecida que está por la ayuda de todos

ustedes. Ahora, ella _____ la

_____ con las contribuciones de ustedes.

    También ahorramos las propinas que Mamá

_____ para comprar una

_____ que queremos:

_____

_____

_____

_____

_____

_____

_____

Nombre _____

Las propinas

Escoge una moneda de cada botellón para escribir
oraciones. Recuerda cómo terminan los verbos.

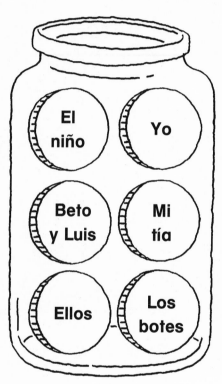

El niño   Yo

Beto y Luis   Mi tía

Ellos   Los botes

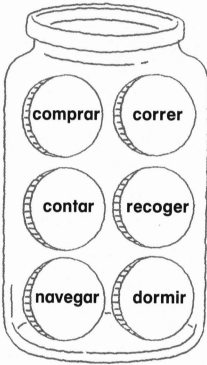

comprar   correr

contar   recoger

navegar   dormir

a la costa   rápido

huevos y leche   en su cuarto

las manzanas   las monedas

1 _____

2 _____

3 _____

4 _____

5 _____

6 _____

Nombre _____

La cancioncita

Usa las Palabras para completar la canción. Usa la tonada de "Duérmete niño" para cantarla.

Palabras	
1. **expresión**	5. **acción**
2. **decisión**	6. **relación**
3. **estación**	7. **nación**
4. **lección**	8. **televisión**

 Tus palabras

1 Esas palabras que sabes ya,

que en **-ción** terminan, recordarás:

esta_____, **na**_____ y **rela**_____,

son las palabras que escribirás.

2 Esas palabras que sabes ya,

que en **-cción** terminan, recordarás:

le_____ y **a**_____, la, la, la, la,

son las palabras que escribirás.

3 Esas palabras que sabes ya,

que en **-sión** terminan, escribirás:

televi_____ y **expre**_____,

y la que falta es tu **deci**_____.

Óyeme niño,
óyeme ya,
y estas palabras
deletrearás.
Escucha bien
y responderás,
lo que pregunto
contestarás.

Nombre

Parranda de palabras

Palabras	
1. **expresión**	5. **acción**
2. **decisión**	6. **relación**
3. **estación**	7. **nación**
4. **lección**	8. **televisión**

Contesta las adivinanzas con las Palabras.

1 La ves en mi cara y sabes cómo me siento. _____

2 El tren o el metro, por aquí pasan y yo entro. _____

3 Aquí nacieron, aquí viven, es su país o su origen. _____

4 Tengo una con mis padres, mis amigos y con mi linda familia. _____

Haz un círculo alrededor de cuatro Palabras que están escritas incorrectamente. Luego, escribe cada Palabra correctamente.

Estimados amigos:

Escuché en la televición la decición de un señor de ayudar a la gente. Fue una ación noble. Yo aprendí una lecsión importante. ¡Primero dar que recibir!

Atentamente,
Yo

5 _____

6 _____

7 _____

8 _____

Nombre

Canciones de cuna

Ayuda a la mamá del bebé a cantar canciones de cuna. Usa una palabra del cuadro para completar cada canción.

fuerte	hijo
tarde	cielo
año	

1 A mi niñito

le doy su baño

todos los días

de este _____.

2 Este niñito

va por el suelo

y siempre quiere

mirar al _____.

3 Tengo un bebé

con mucha suerte,

él toma leche

y se pone _____.

4 Duérmete _____,

duérmete ya,

porque tu papá

pronto vendrá.

5 Duérmete hijito,

que se hace _____,

duerme Luisito,

ya el sol no arde.

Nombre

Palabras trabajadoras

Escribe el verbo correcto para completar la
descripción del juego de fútbol de ayer.

1 Gustavo _____ la pelota. ¡Gol!
   pateó pateamos patearon

2 Sus compañeros de equipo lo _____.
   felicité felicitaste felicitaron

3 —¡Nosotros _____ el juego! —gritaron sus compañeros.
   gané ganaste ganamos

4 —¿Cómo _____ este gol espectacular? —dijo el locutor
de radio.   hiciste hice hacemos

5 —Pues, señor, yo _____ lo que mi mamá siempre decía.
   recordó recordé recordaron

6 —Ella me _____, "Mantén tus ojos siempre en la pelota".
   aconsejamos aconsejó aconsejaron

Escribe una oración que diga algo que pasó en el pasado.

Haz un círculo alrededor del verbo.

_____

_____

Nombre

La casa del crucigrama

Usa las pistas para rellenar el crucigrama.

Palabras

1. **despegó**
2. **desaparecía**
3. **repartir**
4. **regresó**
5. **haciendo**
6. **comiendo**
7. **trabajando**
8. **jugando**

 Tus palabras

Horizontal

2. lo opuesto de **aparecía**

5. lo mismo que **dar**

6. _____ con la pelota

7. empieza con la letra **h**

Vertical

1. quiere decir **volvió**

2. lo hizo un avión

3. _____ en la cafetería

4. _____ en la oficina

¿Cuáles Palabras tienen el sufijo - **ando**?

_____

_____

Nombre

Parranda de palabras

Escribe una Palabra para completar
las oraciones que dicen lo que
Sofía está haciendo hoy.

Palabras	
1. **despegó**	5. **haciendo**
2. **desaparecía**	6. **comiendo**
3. **repartir**	7. **trabajando**
4. **regresó**	8. **jugando**

1 Está _____ una receta.

2 Está _____ en la cocina.

3 Está _____ con sus primos.

4 Está _____ tamales.

Lee el diario de Sofía. Haz
un círculo alrededor de las
Palabras que están escritas
incorrectamente. Luego, escribe
cada palabra correctamente.

5 _____

6 _____

7 _____

8 _____

25 de diciembre

Mientras Juan

dezaparecía con el tamal,

todos dijimos que teníamos

mucha hambre. Regressó

de la cocina donde dispegó

el tamal de la hoja. Lo quería

ripartir entre el grupo de

amigos.

Nombre

¿Ser o no ser?

Mira el dibujo. Luego, escribe oraciones para
responder a las preguntas.

1 ¿Qué cuarto es éste?

_____

2 ¿Para quiénes son los vegetales?

_____

3 ¿Quién fue la persona que puso la mesa?

_____

4 ¿Por quién fueron preparados los vegetales?

_____

Escribe una oración sobre el dibujo.

Usa **es, son, fue** o **fueron**.

_____

_____

Nombre _____

¿Dónde va esta palabra?

Lee cada oración. Recorta y pega la palabra que la contesta
o la completa.

1 Es lindo y bonito, nuevo y precioso.

¿Qué otra palabra describe a este oso? [　　　　]

2 Son los padres de mis padres y de ellos somos nietos.

¿Quiénes son? [　　　　]

3 Mi perro se fue y volvió.

A mi casa [　　　　].

4 Un tamal [　　　　] harina de maíz, chiles y relleno.

5 Un tamal picante se comió,

y mucho calor en la boca [　　　　].

| sintió | tiene | abuelos | regresó | hermoso |

¡A pescar!

Lee el cuento. Hay seis errores. Haz un círculo alrededor de cada error. El ejemplo te ayudará

· Hay dos palabras que están escritas incorrectamente.

· Hay dos errores de verbos.

· Hay dos homófonos mal empleados.

(Él) verano pasado , mi abuelo me lleva a pescar por primera vez. Él es un buen pescador desde que era niño. Ahora ésa son su profeción.

Salimos temprano en la mañana a decubrir el mar y los peces. Unas horas después, mi caña de pescar empezó a temblar y mi abuelo gritó:

—¿No vez que pescaste algo?

—¡No lo puedo creer!—dije en voz alta—. ¡Es tan grande cómo una ballena!

Nombre

La ropa como almuerzo

Cada Palabra significa una acción
que ocurrió en el pasado. Agrega
-ó, -amos, o **-aron** a las letras
escritas en la ropa colgada para
formar las Palabras. Escribe las palabras
que formaste en las cestas.

Palabras

1. **cayó**
2. **escuchamos**
3. **olvidamos**
4. **llevó**
5. **rompió**
6. **empezaron**
7. **enojó**
8. **pensó**

 Tus palabras

cay
escuch
olvid
llev
rompi
empez
pens
enoj

-aron

1 _____

-amos

2 _____

3 _____

-ó

4 _____

5 _____

6 _____

7 _____

8 _____

¿Qué Palabra tiene tres sílabas?

9 _____

Escribe una Palabra con cuatro sílabas.

10 _____

Nombre

Parranda de palabras

Lee estas palabras. Luego
escribe la Palabra que signifique
casi lo mismo.

1. oímos

2. transportó

3. bajó

4. quebró

Palabras	
1. **cayó**	5. **rompió**
2. **escuchamos**	6. **empezaron**
3. **olvidamos**	7. **enojó**
4. **llevó**	8. **pensó**

1 _____

2 _____

3 _____

4 _____

En este diario hay cuatro palabras que están escritas
incorrectamente. Búscalas y rodéalas con un círculo. Luego,
escribe cada palabra correctamente.

Querido diario:

   Esta mañana mi hermano se
enohó. Nos dejó el autobús escolar.
Él piensó que el conductor se
equivocó. ¡Nosotros olbidamos el
nuevo horario! Hoy las clases
empesaron más temprano.

5 _____

6 _____

7 _____

8 _____

Nombre _____

¡Qué lío!

Dirígele la siguiente postal a un amigo o
una amiga. Usa las palabras del cuadro
para completar el texto. Luego, fírmala.

cayó	empezó
dejó	menos
alcanzó	

Querido(a) _____ :

   Mi fiesta de cumpleaños _____ a las

tres de la tarde. Un payaso vino a la fiesta para

hacernos reír pero fue un desastre. Él se

_____ encima del pastel y nadie

_____ a detenerlo. El pastel se hizo

pedazos y mi hermanito no _____ de

llorar; él quería probarlo. La mascota del

payaso, un perrito, destruyó por lo _____

tres plantas del jardín. ¡Qué lío!

Nombre

Cuando el pastel se rompe

Rosa y Martín no saben cuál verbo usar. Llena
los espacios en blanco con el verbo que
corresponda. Luego escribe un final para el
cuento con un verbo en el tiempo pasado.

Rosa: La fiesta de ayer (fue / estuvo) _____ muy divertida. Había un payaso y se cayó.

Martín: ¿De verdad? ¿Cómo (estuvo / fue) _____ ?

Rosa: (Fue / Estuvo) _____ un desastre. Tú (estabas / fuiste) _____ allí. ¿No recuerdas?

Martín: No, no recuerdo. Yo (era / estaba) _____ demasiado ocupado jugando en el jardín, con un perrito. Dime qué pasó después.

Rosa: Después todo (era / estaba) _____ tan sucio, el payaso tumbó el pastel y todos tuvimos que limpiar el piso.

_____

_____

_____

Nombre

Dinograma

Cada grupo de letras es una de las Palabras, pero revuelta. Pon en orden todas las palabras y vuelve a escribirlas de forma correcta.

Palabras	
1. **bocado**	5. **boca**
2. **correr**	6. **corrida**
3. **aviones**	7. **ave**
4. **carreteras**	8. **carro**

 Tus palabras

1. coab

2. ricodar

3. arestreacr

4. racro

5. cabodo

6. rceror

7. seaoinv

8. eva

1 _____

2 _____

3 _____

4 _____

5 _____

6 _____

7 _____

8 _____

¿Cuáles dos Palabras pertenecen a la misma familia de palabras que **corriente**?

9 _____   _____

Nombre

Parranda de palabras

Busca dos Palabras que forman parte de la misma familia de palabras que la palabra subrayada en cada oración.

Palabras
1. **bocado** 5. **boca**
2. **correr** 6. **corrida**
3. **aviones** 7. **ave**
4. **carreteras** 8. **carro**

Quiero un bocadillo.

1 _____

2 _____

El aviador sobrevoló las montañas.

5 _____

6 _____

La corriente del río es rápida.

3 _____

4 _____

Ella ganó dos carreras.

7 _____

8 _____

Rodea con un círculo las cuatro Palabras que están escritas incorrectamente. Luego, escribe cada palabra correctamente.

¿Sabías que algunos dinosaurios no necesitaban aveones porque podían volar como avez? Otros no andaban en karro porque podían corer rápidamente.

9 _____

10 _____

11 _____

12 _____

Los huesos del dinosaurio

Escribe cada palabra al lado de su definición.

| ayudar llena piensas preguntó quería |

1 completa _____

2 deseaba _____

3 dar auxilio _____

4 consideras _____

5 interrogó _____

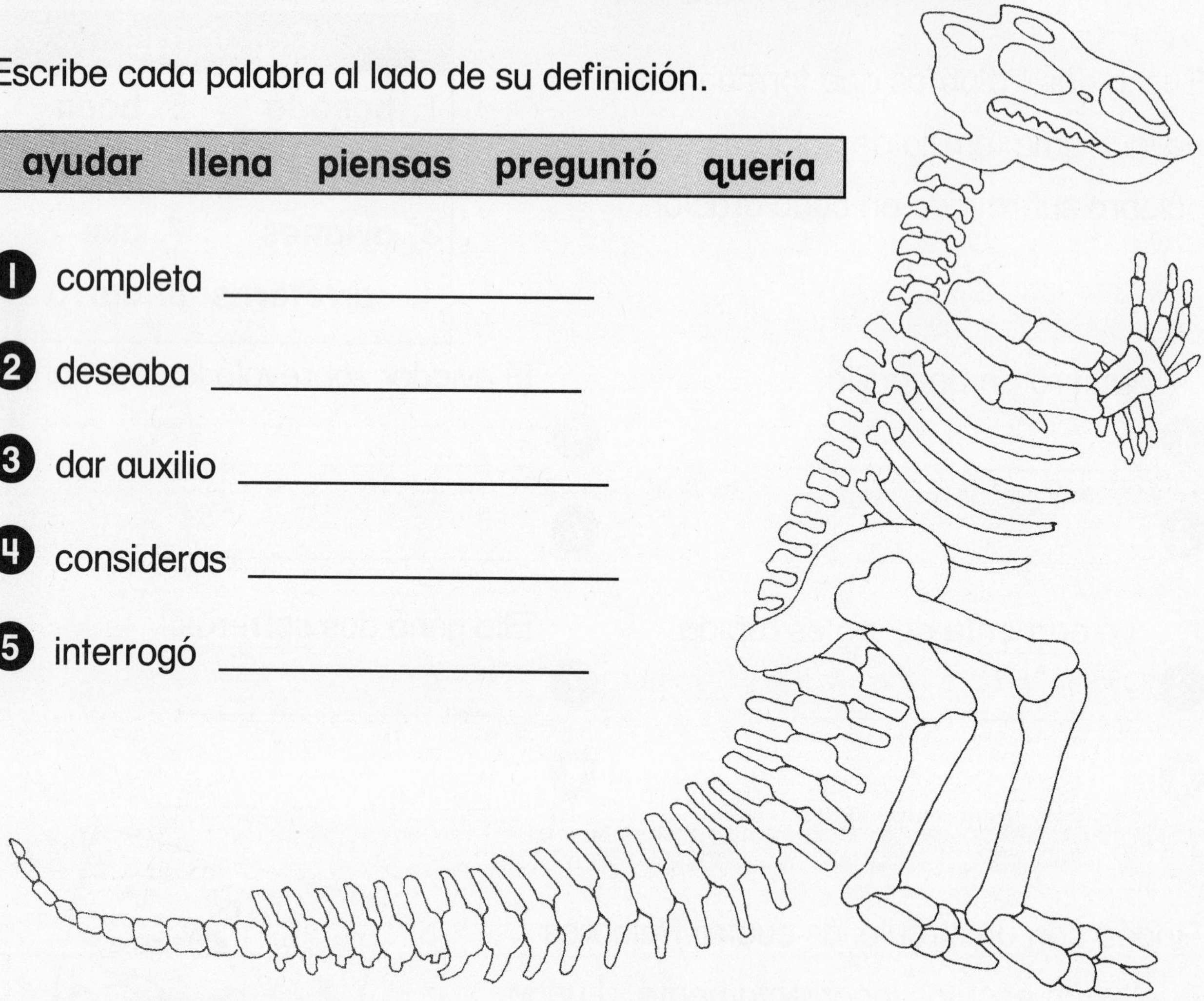

Escribe algunas oraciones sobre dinosaurios, usando
por lo menos tres de las palabras que hayas escrito.

_____

_____

_____

_____

Nombre

Al restaurante

Completa la oración usando **al** o **del.**

Asegúrate de que la oración tenga sentido.

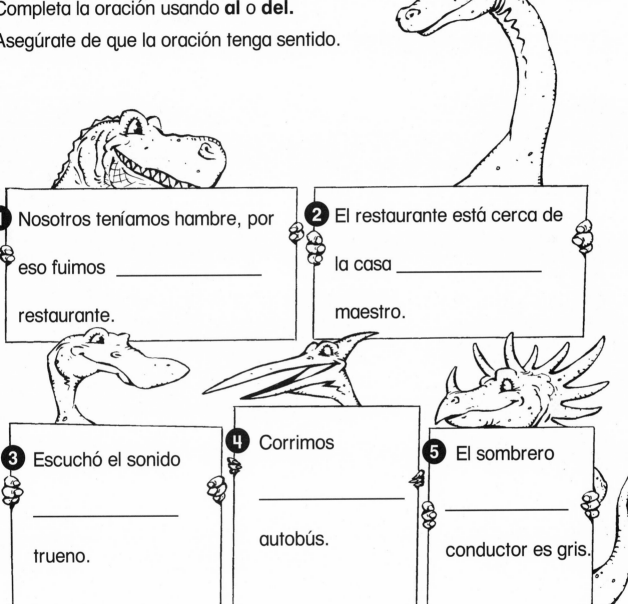

1 Nosotros teníamos hambre, por eso fuimos _____ restaurante.

2 El restaurante está cerca de la casa _____ maestro.

3 Escuchó el sonido _____ trueno.

4 Corrimos _____ autobús.

5 El sombrero _____ conductor es gris.

Ahora escribe dos oraciones con **al** o **del.**

_____

_____

Nombre

Absolutamente asombroso

Cada Palabra tiene el prefijo **ex-** o **es-**, o el sufijo **-oso** u **-osa**. Añade el prefijo o sufijo correcto a las palabras en los brazos del pulpo para crear Palabras. Luego escribe las palabras en la roca que tiene el prefijo o sufijo correcto.

Palabras	
1. **extiende**	5. **venenosa**
2. **expertos**	6. **peligroso**
3. **escuchar**	7. **esconderse**
4. **expulsa**	8. **estira**

 Tus palabras

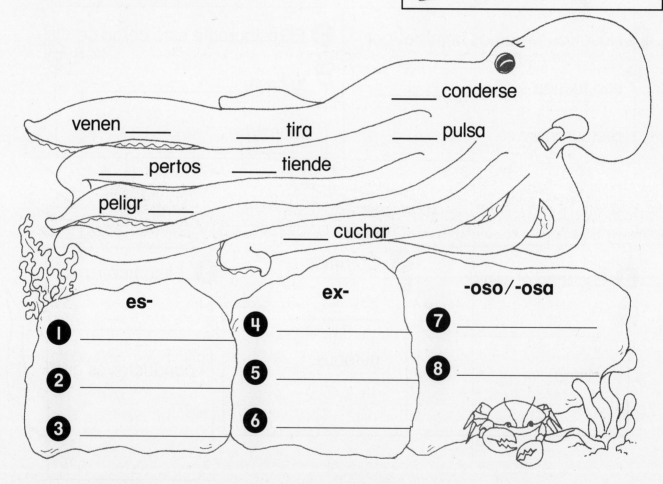

_____ conderse

venen _____

_____ tira

_____ pulsa

_____ pertos

_____ tiende

peligr _____

_____ cuchar

es-

❶ _____
❷ _____
❸ _____

ex-

❹ _____
❺ _____
❻ _____

-oso/-osa

❼ _____
❽ _____

Escribe Palabras para contestar las preguntas.

❾ ¿Cuál Palabra termina como **curioso**? _____

❿ ¿Cuál Palabra termina como **momentos**? _____

Nombre

Parranda de palabras

Lee estas palabras. Luego escribe la Palabra que significa casi lo mismo.

Palabras	
1. **extiende**	5. **venenosa**
2. **expertos**	6. **peligroso**
3. **escuchar**	7. **esconderse**
4. **expulsa**	8. **estira**

1. ocultarse   **3.** echa

2. peritos   **4.** oir

1 _____

2 _____

3 _____

4 _____

Rodea con un círculo las cuatro Palabras que están escritas incorrectamente en este informe. Luego escribe cada palabra correctamente.

5 _____

6 _____

7 _____

8 _____

El océano Atlántico

El océano Atlántico se extende desde Europa hasta los Estados Unidos. La culebra venenoza de mar vive en él. Cuando este animal

se extira, alcanza a medir dos metros de largo. Este animal peligrozo no me pudo hacer daño porque lo vi en el acuario y no en el mar.

Llena las etiquetas

Lee las palabras en el cuadro. Usa las palabras para completar las etiquetas en el diagrama.

duro	entero
recibir	seis
siete	veces

El sifón ayuda al pulpo a
_____ agua.

Come _____
cangrejos como cena.

Tiene un pico muy
_____ en la boca.

Muchas _____
puede comerse un animal
_____.

Tiene muchos brazos. Dos más
_____ son ocho.
Ocho brazos en total.

Escribe unas oraciones acerca del diagrama. Usa algunas palabras del diagrama.

_____

_____

_____

_____

Nombre

En el hondo mar

Busca el dibujo que corresponde con cada oración.

Luego escoge el verbo correcto del dibujo para

completar la oración.

plazco
muerdo

hago
salgo

caigo
tengo

muevo
sé

vengo
veo

doy voy

1 Me _____ tan lento como una almeja.

2 _____ el bocadillo como la anguila come a su presa.

3 _____ una grande langosta como mascota.

4 _____ cosas asombrosas como el pulpo.

5 _____ a la escuela con mi mochila en forma de pez.

6 Cuando encuentre mi máscara me _____ a bucear.

¡Vamos al zoológico!

Lee el artículo de esta página. Hay seis errores. Haz un círculo alrededor de cada error. El ejemplo te ayudará.

· Hay dos palabras que están escritas incorrectamente.

· Hay dos errores de verbos.

· Hay dos errores de contracciones.

LAS NOTICIAS
Una serpiente de cascabel

peligroso

Ayer vi algo peligrozo: una serpiente de cascabel. Una

serpiente de cascabel es una serpiente muy venenza. La vi

en la casa de reptiles de el zoológico.

A veces una serpiente de cascabel se extira en una roca

para calentarse al sol. Las cascabeles están animales de

sangre fría. Las cascabeles también son tímidas. Cuando me

vio, se escondíamos en un hoyo que había a el lado de la roca.

Nombre

¿De dónde viene?

Las Palabras fueron creadas al añadir sufijos a los verbos que aparecen más abajo. Escribe la Palabra correcta junto al verbo que corresponde.

Palabras	
1. **callado**	5. **creativa**
2. **dorados**	6. **habitado**
3. **pensativo**	7. **enojado**
4. **cansada**	8. **expresivo**

 Tus palabras

1 expresar _____

2 cansar _____

3 dorar _____

4 habitar _____

5 enojar _____

6 pensar _____

7 callar _____

8 crear _____

En el sol, escribe Palabras que contengan distintas formas del sufijo **-ado.** En la luna, escribe Palabras que contengan distintas formas del sufijo **-ivo.**

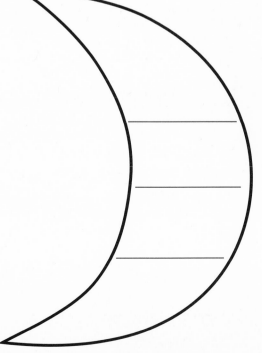

Parranda de palabras

Palabras	
1. **callado**	5. **creativa**
2. **dorados**	6. **habitado**
3. **pensativo**	7. **enojado**
4. **cansada**	8. **expresivo**

Escribe la Palabra que contesta
cada pista.

1 cubiertos con oro _____

2 fatigada _____

3 no desocupado _____

4 imaginativa _____

Lee el diario. Rodea con un círculo las Palabras que
están escritas incorrectamente. Luego escribe cada
palabra correctamente.

Hoy mi profesor dijo que yo era un

chico perezoso. El profesor es muy espresivo

cuando está enohado. No sé por qué se enoja.

Siempre soy muy cayado en clase. Y muy

pesativo también. ¡No es justo!

5 _____

6 _____

7 _____

8 _____

Nombre _____

Soñar despierto

Usa las palabras del cuadro para llenar los espacios en blanco en esta descripción de un sueño.

allá
andaba
barco
hombre
iría
largo

Ayer yo _____ muy despacio.

Cuando me acosté a dormir la siesta, soñé que un

_____ grande aparecía por mi ventana

y me llevaba en un _____ viaje por

el cielo.

De repente venía un _____ y me

preguntaba: —Estimado pasajero, si pudiera viajar a cualquier

parte de las galaxias, ¿adónde _____?

—Iría más _____ de la Vía Láctea

—contesté—. Iría al extremo más lejano del universo.

Nombre

El camino extraño

Usa las palabras del cuadro
para describir las cosas que va
encontrando el hombre en su extraño camino.

| llena | traviesa | enamorada |
| hondo | chiquito | gracioso |

su jardín_____

la luna _____

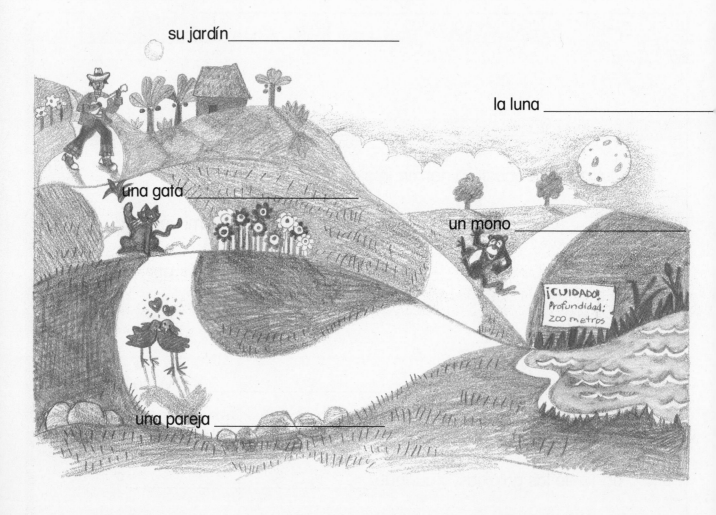

una gata _____

un mono _____

una pareja _____

un lago _____

Escribe una oración acerca del dibujo. Usa dos adjetivos.

_____

_____

Nombre _____

Peces con palabras

Une con líneas las Palabras que están en los peces con sus palabras base. Luego colorea de naranja las Palabras con el sufijo **-dad.** Colorea de amarillo las Palabras con el sufijo **-ía** e **-ia.**

Palabras	
1. **infinidad**	5. **importancia**
2. **afinidad**	6. **ganancia**
3. **dignidad**	7. **sequía**
4. **bondad**	8. **valentía**

 Tus palabras

1. bueno

2. digno

3. valiente

4. importante

5. afin

6. seco

7. infinito

8. ganador

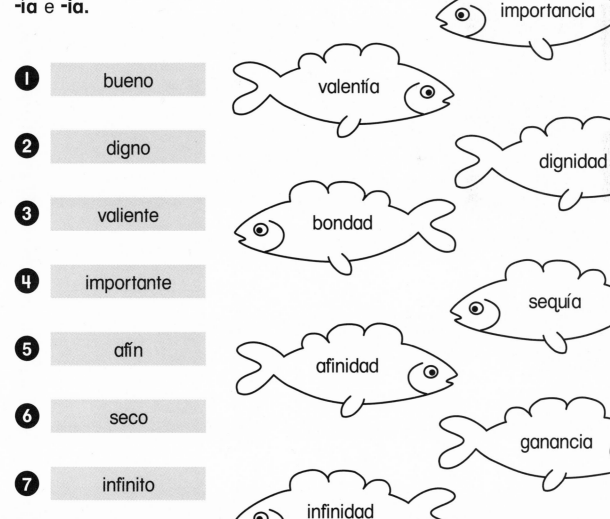

importancia

valentía

dignidad

bondad

sequía

afinidad

ganancia

infinidad

Nombre

Parranda de palabras

Escribe una Palabra que corresponda a cada definición.

1. Lo que no puedes contar.

2. Esto es el opuesto de **pérdida.**

3. Lo que tienen los bomberos.

4. Lo que sienten los gemelos.

1 _____

2 _____

3 _____

4 _____

Rodea con un círculo las Palabras que están escritas incorrectamente. Luego escribe cada palabra correctamente.

Lee la siguiente noticia de un periódico.

En un pueblo donde la gente se comportaba muy mal hubo una sekía. Ahora todos reconocen la importansia de ser buenas personas. Ellos han aprendido que la dignitad y la buendad son necesarias para vivir.

5 _____

6 _____

7 _____

8 _____

Una visita inesperada

Llena los espacios en blanco del cuento con las
palabras del cuadro que correspondan.

| bello cuánto hubo ido lado peces |

Un día, una niña del pueblo había _____

al río. Hace un mes _____

una sequía. Los _____ no

viven más allí. De repente vio a la gente, sentada

al otro _____ del río.

—_____ me alegra verlos aquí

—dijo la niña—. ¿Harán el río _____

de nuevo?

Nombre _____

¡A contar!

Cuenta las cosas. Deletrea el número que dice cuántas hay.

1 _____ peces

2 _____ cangrejo

3 _____ conchas

4 _____ rosas

5 _____ caracoles

6 _____ mariposas

Nombre

Haz un dibujo

Cada Palabra está compuesta por una palabra base y la terminación **-ón, -azo** u **-ote**. A veces, antes de agregar el sufijo hay que quitar algunas letras de la palabra base.

Añádeles las palabras base a las terminaciones y escribe las Palabras.

Palabras

1. **jarrón**	5. **jefazo**
2. **artistazo**	6. **cuadrote**
3. **facilón**	7. **guerrerazo**
4. **grandote**	8. **plumón**

Tus palabras

1. (grande) + (-ote)   ❶ _____

2. (jefe) + (-azo)   ❷ _____

3. (cuadro) + (-ote)   ❸ _____

4. (artista) + (-azo)   ❹ _____

5. (fácil) + (-ón)   ❺ _____

6. (pluma) + (-ón)   ❻ _____

¿Cuáles dos Palabras tienen sílabas que empiezan con **rr**?

❼ _____   ❽ _____

Nombre _____

Parranda de palabras

Palabras

1. **jarrón**   5. **jefazo**

2. **artistazo**   6. **cuadrote**

3. **facilón**   7. **guerrerazo**

4. **grandote** 8. **plumón**

Responde a cada adivinanza con una Palabra.

1. Rima con **pelotazo.**
Empieza como **jerife.**

2. Rima con **angelote.**
Empieza como **granja.**

3. Rima con **hombrazo.**
Empieza como **guerra.**

4. Rima con **barcote.**
Empieza como **cuatro.**

1 _____

2 _____

3 _____

4 _____

Busca las cuatro Palabras que están escritas incorrectamente y rodéalas con un círculo. Luego, escribe cada palabra correctamente.

El Topo era un verdadero artisazo. Decidió pintar al gran oso que vivía cerca de su casa. Usó un plumán de águila y un jarón de pintura. ¡No es fasilón pintar un oso peligroso!

5 _____

6 _____

7 _____

8 _____

Una leyenda

Recorta las nubes y pégalas donde corresponden. Escribe
un final para la leyenda en la parte de atrás de esta hoja.

Había una vez una chica que [ ] muñecos de paja y los

vestía como la gente de su pueblo. Un día, encontró un objeto oculto

[ ] de sus muñecos. Lo [ ]. Era otro muñeco,

pero de una forma que ella jamás había visto. Estaba [ ]

de un material desconocido. Decidió guardarlo en un lugar secreto.

Con los años, la chica [ ]. Un día sacó el extraño

muñeco del lugar secreto.

creció   detrás   hacía   hecho   miró

95

Escribe un final para la leyenda.

Por eso...

_____

_____

_____

_____

_____

_____

Monta el caballito

Escoge palabras de los cuadros y escríbelas para
completar las oraciones.

rápido
más rápido
el más rápido

El caballito gris corre rápido.

1 El caballito pinto corre _____.

2 El caballito negro es _____ de todos.

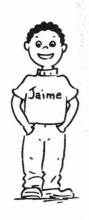  

bajo
más bajo
el más bajo

Tony es bajo.

3 Jaime es _____ que Tony.

4 Paco es _____ de los tres.

Nombre

Dos ositos

Lee el cuento. Hay seis errores. Haz un círculo alrededor de cada error. El ejemplo te ayudará.

· Hay cuatro palabras que están escritas incorrectamente.
· Hay dos errores en el uso de adjetivos.

Los osos Diana y Miguel

Diana, la osa mayor, es muy (creatiba) mientras que Miguel es el más pequeña y muy callado. Durante la sequía, Diana, la mas alta, alcanza los últimos frutos dorados de los árboles. Diana se cree la jefasa del bosque.

Miguel, el oso menores, tiene mucha afinidad por Diana. Con balentía se mete debajo de las matas y recoge miles de moras en un jarón. Con mucha bondad se las ofrece a su hermana.

MI
MANUAL

Contenido

✏️ **Traza y escribe las letras.**

Aa Aa

Bb Bb

Cc Cc

Ch ch Ch ch

Dd Dd

✏️ **Traza y escribe las letras.**

E e E e

F f F f

G g G g

H h H h

I i I i

J j J j

K k K k

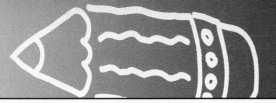

✏️ **Traza y escribe las letras.**

L l L l

L l ll L l ll

M m M m

N n N n

Ñ ñ Ñ ñ

✏️ **Traza y escribe las letras.**

O o O o

P p P p

Q q Q q

R r R r

S s S s

T t T t

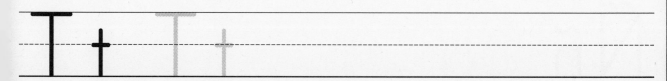

✏️ **Traza y escribe las letras.**

U u   U u

V v   V v

W w   W w

X x   X x

Y y   Y y

Z z   Z z

✏️ **Traza y escribe las letras.**

Aa Aa

Bb Bb

Cc Cc

Ch ch Ch ch

Dd Dd

✏️ **Traza y escribe las letras.**

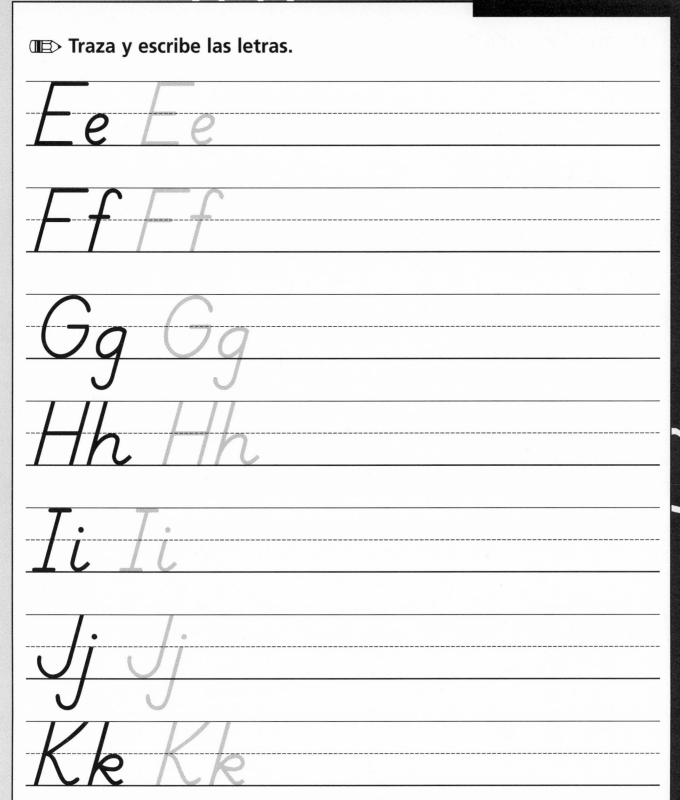

Ee Ee

Ff Ff

Gg Gg

Hh Hh

Ii Ii

Jj Jj

Kk Kk

✏️ **Traza y escribe las letras.**

Ll Ll

Ll ll Ll ll

Mm Mm

Nn Nn

$Ññ$ $Ññ$

 **Traza y escribe las letras.**

Oo Oo

Pp Pp

Qq Qq

Rr Rr

Ss Ss

Tt Tt

✏️ **Traza y escribe las letras.**

Uu Uu

Vv Vv

Ww Ww

Xx Xx

Yy Yy

Zz Zz

Cómo estudiar una palabra

1 **MIRA la palabra**

- ¿Qué significa la palabra?
- ¿Qué letras tiene la palabra?
- Nombra y toca cada letra.

2 **LEE la palabra en voz alta**

- Escucha los sonidos consonánticos.
- Escucha los sonidos vocálicos.

3 **PIENSA en la palabra**

- ¿Cómo se escribe cada sonido?
- Cierra los ojos e imagina la palabra.
- ¿Qué otras palabras tienen el mismo patrón ortográfico?

4 **ESCRIBE la palabra**

- Piensa en los sonidos y las letras.
- Forma las letras correctamente.

5 **REVISA la ortografía**

- ¿Escribiste la palabra igual que está escrita en tu lista de palabras?
- Escribe de nuevo la palabra si no la escribiste correctamente.

Palabras con *rr, ll, ch*

carros

ella

chicle

Combinaciones con *r* y *l*

bicicleta   primera

fabrican   triste

grito

Palabras

1. carros
2. ella
3. llama
4. perros
5. corrió
6. chicle
7. noche
8. correa

Palabras

1. bicicleta
2. primera
3. comprar
4. hombre
5. fabrican
6. triste
7. gritó
8. gracias

Palabras avanzadas

1. maravilloso
2. cachorros

Palabras avanzadas

1. complicados
2. cumpleaños

Mi lista de estudio

Escribe tus propias palabras al otro lado de esta página. ➞

Mi lista de estudio

Escribe tus propias palabras al otro lado de esta página. ➞

Nombre _____

Mi lista de estudio

1. _____

2. _____

3. _____

4. _____

5. _____

6. _____

7. _____

8. _____

Palabras de uso frecuente

Usa estas palabras en tu escritura.

1. animales
2. cada
3. ese
4. ha
5. roja

Nombre _____

Mi lista de estudio

1. _____

2. _____

3. _____

4. _____

5. _____

6. _____

7. _____

8. _____

Palabras de uso frecuente

Usa estas palabras en tu escritura.

1. abajo
2. mía
3. nuevo
4. oír
5. pidió

Sílabas con *g* suave

garza

la**go**

la**gu**na

se**gui**do

Diptongos

b**ue**nos

v**ia**je

n**ie**ve

c**ua**rto

Palabras

1. lago
2. garza
3. guiar
4. seguido
5. tortuga
6. laguna
7. golpea
8. lugares

Palabras

1. buenos
2. viaje
3. nieve
4. aire
5. cuarto
6. tiene
7. puerta
8. nuevo

Palabras avanzadas

1. madriguera
2. persigue

Palabras avanzadas

1. edificio
2. jaula

Mi lista de estudio

Escribe tus propias palabras al otro lado de esta página. →

Mi lista de estudio

Escribe tus propias palabras al otro lado de esta página. →

Nombre _____

Mi lista de estudio

1. _____

2. _____

3. _____

4. _____

5. _____

6. _____

7. _____

8. _____

Palabras de uso frecuente

Usa estas palabras en tu escritura.

1. árbol
2. azul
3. enfermo
4. nunca
5. puerta
6. son

Nombre _____

Mi lista de estudio

1. _____

2. _____

3. _____

4. _____

5. _____

6. _____

7. _____

8. _____

Palabras de uso frecuente

Usa estas palabras en tu escritura.

1. bajo
2. beber
3. ciudad
4. pájaro
5. pies
6. rápido

Palabras con sufijos

calent**ito**

final**mente**

abert**ura**

Sílabas con *c* fuerte y *q*

cada

curiosa

corteza

bos**que**

Palabras

1. calentito
2. finalmente
3. lentamente
4. armadura
5. golpecitos
6. abertura
7. pintura
8. rápidamente

Palabras avanzadas

1. herméticamente
2. cuidadosamente

Palabras

1. cerca
2. curiosa
3. pequeña
4. corteza
5. cada
6. bosque
7. equipo
8. charca

Palabras avanzadas

1. caparazón
2. tranquilo

Mi lista de estudio

Escribe tus propias palabras al otro lado de esta página. →

Mi lista de estudio

Escribe tus propias palabras al otro lado de esta página. →

Nombre _____

 Mi lista de estudio

1. _____

2. _____

3. _____

4. _____

5. _____

6. _____

7. _____

8. _____

Palabras de uso frecuente

Usa estas palabras en tu escritura.

1. alrededor
2. aún
3. color
4. madre
5. mirar

Nombre _____

 Mi lista de estudio

1. _____

2. _____

3. _____

4. _____

5. _____

6. _____

7. _____

8. _____

Palabras de uso frecuente

Usa estas palabras en tu escritura.

1. ayuda
2. blanco
3. cabeza
4. cierra
5. hogar
6. parte

Sílabas con *h* y *j*

había

jardín

di**jo**

Sílabas con *s*, *c* suave y *z*

bri**sa**

cientos

zorro

Palabras

1. jardín
2. había
3. hombres
4. ojos
5. hasta
6. dijo
7. caja
8. habla

Palabras

1. isla
2. brisa
3. dulces
4. zorro
5. cascada
6. secreto
7. cientos
8. zarpas

Palabras avanzadas

1. juguetes
2. jugando

Palabras avanzadas

1. amanecer
2. murciélagos

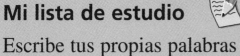

Mi lista de estudio

Escribe tus propias palabras al otro lado de esta página. →

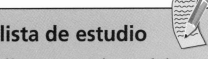

Mi lista de estudio

Escribe tus propias palabras al otro lado de esta página. →

Nombre _____

Mi lista de estudio

1. _____

2. _____

3. _____

4. _____

5. _____

6. _____

7. _____

8. _____

Palabras de uso frecuente

Usa estas palabras en tu escritura.

1. agua
2. aire
3. camino
4. sobre
5. temprano

Nombre _____

Mi lista de estudio

1. _____

2. _____

3. _____

4. _____

5. _____

6. _____

7. _____

8. _____

Palabras de uso frecuente

Usa estas palabras en tu escritura.

1. alguien
2. aprendió
3. bastante
4. enseño
5. fuimos

Terminaciones de verbos:

Imperfecto

est**aba**

llam**aba**

Sílabas con *j* y *g* fuerte

gerbo

fin**gir**

justo

deba**jo**

Palabras

1. estaba
2. hablaba
3. cuidaba
4. llamaba
5. pintaba
6. miraba
7. gritaba
8. lloraba

Palabras

1. gerbo
2. fingir
3. agitar
4. dije
5. debajo
6. ojos
7. justo
8. mejor

Palabras avanzadas

1. preocupaba
2. atravesaba

Palabras avanzadas

1. tijeras
2. dibujé

Mi lista de estudio

Escribe tus propias palabras al otro lado de esta página. →

Mi lista de estudio

Escribe tus propias palabras al otro lado de esta página. →

Nombre _____

Mi lista de estudio

1. _____
2. _____
3. _____
4. _____
5. _____
6. _____
7. _____
8. _____

Palabras de uso frecuente

Usa estas palabras en tu escritura.

1. acerca
2. ayudarán
3. difícil
4. ojos
5. sonrío
6. ventana

Nombre _____

Mi lista de estudio

1. _____
2. _____
3. _____
4. _____
5. _____
6. _____
7. _____
8. _____

Palabras de uso frecuente

Usa estas palabras en tu escritura.

1. abrió
2. amor
3. cuidar
4. dulce
5. voz

Sufijos diminutivos

abuel**ito**

amigu**ita**

Palabras

1. abuelito
2. amiguita
3. nietecita
4. primita
5. barquitos
6. casita
7. gatito
8. besito

Palabras avanzadas

1. sorpresita
2. sueñecito

Mi lista de estudio

Escribe tus propias palabras
al otro lado de esta página. →

Nombre _____

Mi lista de estudio

1. _____

2. _____

3. _____

4. _____

5. _____

6. _____

7. _____

8. _____

Palabras de uso frecuente

Usa estas palabras en tu escritura.

1. calle

2. conocer

3. escribir

4. viajar

5. visita

Homófonos

sí—si

siento—ciento

Sinónimos

finca—granja

viejo—anciano

Palabras

1. el
2. casa
3. sí
4. siento
5. él
6. caza
7. si
8. ciento

Palabras

1. finca
2. viejo
3. contento
4. soga
5. granja
6. anciano
7. alegre
8. cuerda

Palabras avanzadas

1. botar
2. votar

Palabras avanzadas

1. raro
2. extraño

Mi lista de estudio

Escribe tus propias palabras al otro lado de esta página. →

Mi lista de estudio

Escribe tus propias palabras al otro lado de esta página. →

Copyright © Houghton Mifflin Company. All rights reserved.

Nombre _____

Mi lista de estudio

1. _____

2. _____

3. _____

4. _____

5. _____

6. _____

7. _____

8. _____

Palabras de uso frecuente

Usa estas palabras en tu escritura.

1. buscar
2. flores
3. largo
4. sabe
5. viejo

Nombre _____

Mi lista de estudio

1. _____

2. _____

3. _____

4. _____

5. _____

6. _____

7. _____

8. _____

Palabras de uso frecuente

Usa estas palabras en tu escritura.

1. cenar
2. cosa
3. luz
4. paga
5. recibe

**Prefijos *re-*, *de-*, *des-*;
sufijos *-ando*, *-iendo***

despegó   **re**gresó

com**iendo**   trabaj**ando**

**Palabras que terminan en
-sión, *-ción*, *-cción***

deci**sión**

esta**ción**

a**cción**

Palabras

1. despegó
2. desaparecía
3. repartir
4. regresó
5. haciendo
6. comiendo
7. trabajando
8. jugando

Palabras avanzadas

1. arrancando
2. reaparecía

Palabras

1. expresión
2. decisión
3. estación
4. lección
5. acción
6. relación
7. nación
8. televisión

Palabras avanzadas

1. comunicación
2. solución

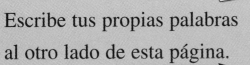

Mi lista de estudio

Escribe tus propias palabras
al otro lado de esta página.

Mi lista de estudio

Escribe tus propias palabras
al otro lado de esta página.

Copyright © Houghton Mifflin Company. All rights reserved.

Nombre _____

Mi lista de estudio

1. _____

2. _____

3. _____

4. _____

5. _____

6. _____

7. _____

8. _____

Palabras de uso frecuente

Usa estas palabras en tu escritura.

1. año
2. cielo
3. fuerte
4. hijo
5. tarde

Nombre _____

Mi lista de estudio

1. _____

2. _____

3. _____

4. _____

5. _____

6. _____

7. _____

8. _____

Palabras de uso frecuente

Usa estas palabras en tu escritura.

1. abuelos
2. hermoso
3. regresó
4. sintió
5. tiene

Familias de palabras

bocado

correr

Terminaciones verbales

cay**ó**

rompi**ó**

escuch**amos**

empez**aron**

Palabras

1. bocado
2. correr
3. aviones
4. carreteras
5. boca
6. corrida
7. ave
8. carro

Palabras

1. cayó
2. escuchamos
3. olvidamos
4. llevó
5. rompió
6. empezaron
7. enojó
8. pensó

Palabras avanzadas

1. enseñaban
2. señales

Palabras avanzadas

1. alcanzó
2. quedaron

Mi lista de estudio
Escribe tus propias palabras
al otro lado de esta página. →

Mi lista de estudio
Escribe tus propias palabras
al otro lado de esta página. →

Copyright © Houghton Mifflin Company. All rights reserved.

Nombre _____

Mi lista de estudio

1. _____

2. _____

3. _____

4. _____

5. _____

6. _____

7. _____

8. _____

Palabras de uso frecuente

Usa estas palabras en tu escritura.

1. alcanzó
2. cayó
3. dejó
4. empezó
5. menos

Nombre _____

Mi lista de estudio

1. _____

2. _____

3. _____

4. _____

5. _____

6. _____

7. _____

8. _____

Palabras de uso frecuente

Usa estas palabras en tu escritura.

1. ayudar
2. llena
3. piensas
4. preguntó
5. quería

**Sufijos que ayudan a
formar adjetivos**

call**ado**   cans**ada**

pensat**ivo**   creat**iva**

**Prefijos *ex-*, *es-*; sufijos *-oso*,
*osa***

extiende

escapar

peligr**oso**

Palabras

1. callado
2. dorados
3. pensativo
4. cansada
5. creativa
6. habitado
7. enojado
8. expresivo

Palabras

1. extiende
2. expertos
3. escuchar
4. expulsa
5. venenosa
6. peligroso
7. esconderse
8. estira

Palabras avanzadas

1. entusiasmado
2. maravillado

Palabras avanzadas

1. escondrijo
2. ventosas

Mi lista de estudio

Escribe tus propias palabras

al otro lado de <u>esta página.</u> →

Mi lista de estudio

Escribe tus propias palabras

al otro lado de <u>esta página.</u> →

Nombre _____

Mi lista de estudio

1. _____

2. _____

3. _____

4. _____

5. _____

6. _____

7. _____

8. _____

Palabras de uso frecuente

Usa estas palabras en tu escritura.

1. duro
2. entero
3. recibir
4. seis
5. siete
6. veces

Nombre _____

Mi lista de estudio

1. _____

2. _____

3. _____

4. _____

5. _____

6. _____

7. _____

8. _____

Palabras de uso frecuente

Usa estas palabras en tu escritura.

1. allá
2. andaba
3. barco
4. hombre
5. iría
6. largo

Aumentativos

tarr**ón**

artist**azo**

grand**ote**

**Sufijos que ayudan a
formar sustantivos**

infini**dad**

import**ancia**

valent**ía**

Palabras

1. tarrón

2. artistazo

3. facilón

4. grandote

5. jefazo

6. cuadrote

7. guerrerazo

8. plumón

Palabras

1. infinidad

2. afinidad

3. dignidad

4. bondad

5. importancia

6. ganancia

7. sequía

8. valentía

Palabras avanzadas

1. abrazote

2. guitarrón

Palabras avanzadas

1. algarabía

2. tranquilidad

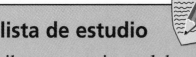

Mi lista de estudio

Escribe tus propias palabras

al otro lado de esta página.

Mi lista de estudio

Escribe tus propias palabras

al otro lado de esta página.

Nombre _____

Mi lista de estudio

1. _____

2. _____

3. _____

4. _____

5. _____

6. _____

7. _____

8. _____

Palabras de uso frecuente

Usa estas palabras en tu escritura.

1. bello
2. cuanto
3. hubo
4. ido
5. lado
6. peces

Nombre _____

Mi lista de estudio

1. _____

2. _____

3. _____

4. _____

5. _____

6. _____

7. _____

8. _____

Palabras de uso frecuente

Usa estas palabras en tu escritura.

1. creció
2. detrás
3. hacía
4. hecho
5. miró

Letras y sonidos

Si sabes los sonidos de las letras y los grupos de letras, puedes deletrear muchas palabras nuevas.

Vocales

a	e	i	o	u
ala	**e**lefant**e**	**i**dea	**o**jo	**u**so

Diptongos

ai	au	ay	ei	eu	ey	ia	ie	io
b**ai**le	**au**to	h**ay**	s**ei**s	d**eu**da	r**ey**	mag**ia**	t**ie**ne	grac**io**so

iu	oi	oy	ua	ue	ui	uo	uy
c**iu**dad	**oi**go	d**oy**	c**ua**nto	b**ue**no	c**ui**dado	c**uo**ta	m**uy**

Consonantes

b	c	c	ch	d	f	g	g	h
beso	**c**asa	**c**ero	**ch**ivo	**d**edo	**f**oca	**g**ato	**g**ente	**h**oja
	conejo	**c**ine				**g**orila	**g**itano	
	cuna					**g**usano		

j	k	l	ll	m	n	ñ	p	qu
jirafa	**k**ilo	**l**obo	**ll**ave	**m**apa	**n**ido	pi**ñ**a	**p**uma	**qu**eso

r	rr	s	t	v	w	x	y	z
rosa	pe**rr**o	**s**ol	**t**igre	**v**aca	**W**ashington	e**x**tender	**y**o**y**o	**z**orro
						Mé**x**ico		

Plurales

Para formar el plural

• pon una **-s** o una **-es** al final de un nombre para nombrar más de uno:

niño	niño**s**	flor	flor**es**
playa	playa**s**	camión	camion**es**

Los prefijos y sufijos

Pon un **prefijo** al comienzo de una palabra.

> Marta <u>lee</u> el libro.
> Marta **re**<u>lee</u> el libro porque le gusta mucho.

> La sala está en <u>orden</u>.
> Después de la fiesta, la sala está en **des**<u>orden</u>.

Pon un **sufijo** al final de una palabra.

> El canguro da un <u>salto</u>.
> El sapo da un <u>salt</u>**ito**.

> El ensayo de Miguel es <u>perfecto</u>.
> Miguel expresa sus ideas <u>perfecta</u>**mente**.

> Esta montaña es una <u>maravilla</u> del mundo natural.
> La vista desde la cima es <u>maravill</u>**osa**.

Los homógrafos

Los **homógrafos** son palabras que suenan igual, pero significan cosas diferentes. El acento distingue las dos palabras.

de	dé	mi	mí
se	sé	si	sí
solo	sólo	te	té
tu	tú	porque	por qué

Por ejemplo:

> **Por qué** es una pregunta y **porque** es una respuesta.

Las palabras **qué**, **cómo**, **quién**, **cuándo**, **cuánto** y **dónde** tienen acento cuando forman parte de una pregunta.

LAS ORACIONES

Una **oración** dice lo que hace alguien o algo.

> Los chicos viajan.   Mi amiga come.

Tipos de oraciones

Una oración **declarativa** cuenta algo. Empieza con mayúscula.
Termina con un punto final.

> La casa es blanca.   Julia fue a la tienda.

Una **pregunta** pregunta algo. Empieza con mayúscula. Empieza y termina con signos de interrogación.

> ¿Quieres jugar?   ¿Cómo estás?

Una oración **exclamativa** muestra emoción. Empieza con mayúscula.
Empieza y termina con signos de exclamación.

> ¡Qué hermoso sombrero!   ¡Qué frío!

Partes de la oración

Cada oración tiene **una parte que nombra** y **una parte que muestra acción**.

La parte que nombra dice qué o quién.

> **El cielo** es azul.   **Carla** juega en la nieve.

La **parte que muestra acción** dice lo que pasa.

> Raúl **camina**.   El tren **anda rápido**.

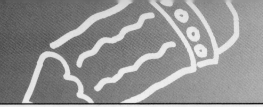

GUÍA DE GRAMÁTICA

LOS NOMBRES

Los **nombres** nombran a una persona, lugar o cosa.

> La **chica** estudia.   Ramón fue al **parque**.   Tengo una **gata**.

Los nombres especiales

Algunos nombres nombran a personas, lugares y cosas especiales.

Nombres	Nombres especiales
Me gusta jugar con mi **perro**.	Me gusta jugar con **Osito**.
Jugamos en el **parque**.	Jugamos en el **Parque Simón Bolívar**.

Nombres para uno y más de uno

Un nombre puede nombrar a una sola persona, lugar o cosa.

> Tomás tiene una **gata**.   La gata juega con una **flor**.

Un nombre puede nombrar a más de una persona, lugar o cosa.

> Tomás tiene dos **gatas**.   Las gatas juegan con las **flores**.

Pon una **-s** o una **-es** al final de un nombre para nombrar más de uno:

el niño	los niño**s**
la playa	las playa**s**
flor	flor**es**
ciudad	ciudad**es**

Los nombres son masculinos o femeninos.

masculino	femenino
el gato	la gata
el chico	la chica
el profesor	la profesora
el día	la mano

LOS ARTÍCULOS

Pon **un** o **una** antes de un nombre que no es particular.

Él es **un** amigo.   Ella es **una** amiga.

Pon **el** o **la** antes de un nombre particular.

Él es **el** amigo de Ana.   Ella es **la** amiga de Mario.

LOS PRONOMBRES

Un **pronombre** toma el lugar del nombre.

Yo, **tú**, **él**, **ella**, **usted**, **nosotros/as**, **ustedes** son pronombres.

Yo canto bien.	**Nosotros** cantamos bien.
Tú cantas.	
Él canta bien.	**Ellos** cantan bien
Ella canta bien.	**Ellas** cantan bien.
Usted canta bien.	**Ustedes** cantan bien.

LOS VERBOS

Los verbos dicen lo que tú u otras personas hacen ahora.

> **Hablo** con mi amiga.
>
> Marta **toca** la guitarra.

Los verbos dicen lo que tú u otras personas hicieron o hacían antes.

> **Hablé** con mi amiga ayer.
>
> Marta **tocaba** la guitarra el año pasado.

Los verbos dicen lo que tú u otras personas van a hacer en el futuro.

> **Hablaré** con mi amiga mañana.
>
> Marta **tocará** la guitarra para la fiesta.

Hay tres tipos de verbos. Los verbos sólo terminan en **-ar**, **-er** e **-ir**.

> Nosotros **cantamos** bien. (**cantar**)
>
> Tú **comes** una manzana. (**comer**)
>
> Mis padres **viven** en México. (**vivir**)

LOS ADJETIVOS

Los **adjetivos** describen cómo es algo— cómo se siente, huele, suena y qué sabor tiene.

> El **lindo** amanecer les encantó. (es)
>
> El niño dormía con una cobija **suave**. (se siente)
>
> La tarta huele **rico**. (huele)
>
> La ciudad es **ruidosa**. (suena)

Los adjetivos indican el tamaño, la forma, el color y cuántos hay.

> La nube **grande** se movía lentamente. (tamaño)
>
> El niño tenía una cara **redonda**. (forma)
>
> Me gusta el sombrero **azul**. (color)
>
> **Dos** doctores entraron en la oficina. (cuántos)

Los adjetivos se usan para comparar.

> Comparan a dos personas, lugares o cosas.
>
> Mario es **más alto que** Lila.
>
> Lila es **menos alta que** Mario.

> Comparan a más de dos personas, lugares o cosas.
>
> Mario es **el más alto** de la clase.
>
> Lila es **la más baja** de la clase.

LAS MAYÚSCULAS

Cada oración empieza con **mayúscula**.

> **E**l día está lindo.

Los nombres de personas llevan **mayúscula**.

> **M**ario y **A**nita son hermanos.

Los días de la semana llevan **minúscula**.

> Hoy es **m**iércoles.

Los meses llevan **minúscula**.

> En **j**unio hace calor.

LA PUNTUACIÓN

Una oración declarativa termina con un punto final.

> Todos mis amigos van a la fiesta**.**

Una pregunta empieza y termina con signos de interrogación.

> **¿**Tú vas a la fiesta**?**

Una oración exclamativa empieza y termina con signos de exclamación.

> **¡**Qué rica está la tarta**!**

Algunas palabras tienen formas más cortas. Pon un punto depués de la abreviatura.

Señor López	**Sr.** López
Señora López	**Sra.** López
Doctor Ortiz	**Dr.** Ortiz

La abreviatura de **usted** lleva mayúscula.

usted	**Ud.**
ustedes	**Uds.**

LAS CONTRACCIONES

Dos palabras forman una palabra en una contracción.

de + el	del	El libro es **del** profesor.
a + el	al	Voy **al** colegio.

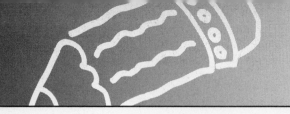

LISTA PARA HACER CORRECCIONES

Lee cada pregunta. Busca en tu trabajo cada tipo de error. Corrige cada error que encuentres.

- ☐ ¿Empecé cada oración con mayúscula?
- ☐ ¿Usé la puntuación correcta?
- ☐ ¿Escribí cada palabra correctamente?
- ☐ ¿Dejé sangría al principio de cada oración?

SIGNOS DE CORRECCIÓN

∧	Añade otra palabra.	Yo∧ver la película. *(quiero)*
—	Tacha una palabra. Cambia la ortografía.	El carro ~~es~~ andaba lentamente. Pedro no ~~vene~~ a casa. *(viene)*
/	Cambia la mayúscula a minúscula.	En Énero hace frío.
=	Cambia una minúscula a mayúscula.	los animales se esconden en el bosque.